001751   15.95

7.95
x

Δρ

D1413282

MANON RHÉAUME

Seule devant le filet

Conception graphique de la couverture:
Eric L'Archevêque

Photos de la couverture:
à l'arrière-plan: Akin Girav / Agence; Maquillage: Shawn Anderson
à l'avant-plan: Al Messerchmidt

Photo de l'auteur: Ömer Faruközen

Chantal Gilbert

MANON RHÉAUME
Seule devant le filet

COLLECTION
SPORT
dirigée par Louis Arpin

LES ÉDITIONS DE
L'HOMME

Données de catalogage avant publication (Canada)

Gilbert, Chantal

   Manon Rhéaume: seule devant le filet

   ISBN 2-7619-1139-3

   1. Rhéaume, Manon.   2. Joueurs de hockey - Québec
(Province) - Biographies.   3. Hockey féminin - Québec
(Province) - Biographies.   I. Titre.

   GV848.5.R43G54   1993   796.962'092   C93-096880-8

© 1993, Les Éditions de l'Homme,
une division du groupe Sogides

Dépôt légal: 3e trimestre 1993
Bibliothèque nationale du Québec

ISBN 2-7619-1139-3

À tous ceux qui ont cru en moi, principalement à Nicole et Pierre, sans qui je ne serais pas où je suis présentement.

Avant-propos

Cette histoire n'est pas un conte de fées. Ce n'est qu'une vie. Une simple vie avec ses bonheurs immenses et ses misères. Ses moments de conquête et ses crises d'angoisse cachées, au fond du ventre.

Je l'aime, cette vie. Je la savoure à chaque instant, car je sais par où je suis passée pour en arriver là.

Je me rappelle les embûches que j'ai dû affronter, les tabous que j'ai démolis. Je me souviens des peines et des souffrances endurées sans pleurer, pour que l'on ne me prenne pas pour une petite fille fragile.

Je suis consciente du remous que provoque ma présence dans le monde du hockey. Certains confrères ne supportent pas qu'une femme se retrouve ainsi catapultée dans une ligue professionnelle, sans avoir fait ses preuves dans le hockey junior majeur. Les journalistes ne me prédisent pas longue vie. La majorité des gens ne voient que le *stunt* publicitaire dans cette histoire.

Cette vie n'est pas une chimère. C'est un rêve que j'ai fait, toute petite. Un rêve auquel je me suis accrochée. Un rêve auquel j'ai cru. Un rêve qui se réalise, d'une façon inespérée.

Je me suis trouvée au bon endroit au bon moment et devant les bonnes personnes. Il faut croire que j'étais sous une bonne étoile.

Opportuniste? Arriviste? Profiteuse? Non!

Dites-moi... Si on vous offrait la chance d'aller au bout de vous-même, détourneriez-vous la tête? Refuseriez-vous de vivre votre passion? Refouleriez-vous vos plus grands désirs, vos envies?

Auriez-vous peur d'essayer?

Pouvez-vous nier, chez une personne d'à peine vingt ans, le besoin de se dépasser et d'atteindre l'excellence? Sûrement pas!

On m'a offert de vivre ma passion. Comment passer à côté?

Je ne me sentais pas le courage de vivre toute une vie en me demandant: «Si j'avais accepté l'offre de Phil Esposito, qu'est-ce qui serait arrivé? Jusqu'où serais-je allée? Où étaient mes limites?» Si je n'avais pas accepté cette offre, je ne pourrais pas me regarder dans un miroir. Je rougirais de honte.

Je vis ma passion, pas une chimère.

Cette vie est intense, pleine de moments magiques. Très *jet set*. Les réceptions somptueuses, les grandes personnalités politiques, sportives et artistiques, les limousines: très étourdissant, tout ça. Le public et son courrier, les autographes, les témoignages de sympathie: ça fait chaud au cœur. Mais tout n'est pas toujours rose et facile.

C'est aussi une vie astreignante, fatigante. Dure. Si dure, parfois. Les entraînements, les horaires chargés et la course contre le temps, la pression des médias et leurs critiques parfois très cinglantes et, surtout, la solitude.

La solitude, à Atlanta, loin des miens. Dans une grande ville où je ne connais personne. Une ville qui m'effraie un peu.

Il m'importe peu d'être la première femme à jouer dans une ligue de hockey professionnelle. Petite fille, j'ai toujours été la première. Rien de neuf pour moi là-dedans. Ce qui m'importe, c'est d'aller au bout de moi-même.

Alors moi, j'avance... J'irai jusqu'où je peux.

Le conte de fées... on s'en reparlera!

Le rêve fou

La passion du hockey m'habite depuis toujours. C'est un rêve fou qui revient, inlassablement. Et il reviendra tant qu'il ne sera pas exorcisé complètement.

Qui m'aurait crue, quand j'avais cinq ans, si j'avais dit: «Un jour, quand je serai grande, je serai gardien de but dans une équipe professionnelle»? Tout le monde aurait ri de moi, bien sûr.

Heureusement que mes parents m'ont laissée faire, qu'ils avaient l'esprit large. Mais cela ne s'est quand même pas fait tout seul. Il a fallu que je sois convaincante. En général, quand je veux quelque chose, je l'obtiens. C'est ainsi depuis ma plus tendre enfance.

Nous habitions au Lac Beauport, une municipalité dans les montagnes, à quelques kilomètres au nord de Québec. Tout jeune marié, mon père, Pierre, avait eu le coup de foudre pour ce coin de pays lors de randonnées à cheval. Il y avait mis Aramis en pension chez un cultivateur et, dès qu'il avait une minute, il retrouvait sa bonne bête et se réfugiait dans la quiétude des bois et des champs. De cette manière, il pouvait échapper à ses clients de la ville: finis les plans, les excavations, les livraisons de matériel en retard, les ouvriers qui se déclarent malades les jours de grosse chaleur. Finies les odeurs de goudron et les échardes dans les doigts. Son métier d'entrepreneur en construction l'accaparait et ses escapades à la campagne lui permettaient de remettre ses idées en place.

L'idée d'installer sa famille au Lac Beauport lui vint tout juste avant la naissance de Martin, mon grand frère. Ma mère, Nicole, n'y fit aucune objection. La proximité de la montagne et du lac plaisait à la sportive qu'elle était. Elle anticipait déjà les joies du ski et de la baignade.

Mon père construisit donc, de ses propres mains, notre première maison. Elle était belle et confortable, mais elle devint rapidement trop petite. Martin n'avait pas deux ans quand je suis née le 24 février 1972, et presque tout de suite Pascal a suivi.

La construction d'une autre maison plus spacieuse est devenue nécessaire. En bon visionnaire, il l'a conçue en fonction d'une famille de sportifs. La succession de crochets au mur de l'entrée en faisait foi: on pouvait y accrocher une dizaine d'habits de neige et d'équipements de hockey, des skis, des patins, des bâtons. Le sous-sol appartiendrait aux enfants et il ne serait pas gênant d'y jouer au hockey. D'ailleurs, les murs en portent encore les traces.

Mon père, homme tenace et courageux, est celui qui m'a initiée au hockey. Il m'a transmis son désir d'aller au bout de soi-même. Il m'a appris la fierté et la dignité. Il m'a enseigné l'équité et le respect des autres.

Grand sportif et amateur de hockey, mon père a toujours participé à l'organisation des sports de la municipalité. Martin était encore beaucoup trop petit pour jouer au hockey quand il a décidé que ce serait bien d'aménager une patinoire extérieure pour les petits gars de la place. Il ne pouvait pas comprendre qu'un endroit de plein air, comme l'est Lac Beauport, une municipalité du Nord où le froid règne en maître, n'ait pas sa patinoire. Il ne pouvait concevoir que son fils ne puisse jouer au hockey, quand il en aurait l'âge.

Après de longues discussions, le maire de Lac Beauport accepta de payer les matériaux nécessaires à la construction de la bande mais à la condition expresse que les citoyens participent à la construction et à l'entretien de la patinoire. Mon père avait rallié à sa cause les parents du voisinage et tout le monde était prêt à mettre la main à la pâte.

Le maire leur donna un terrain qui n'était pas facile à aménager: il y avait 30 cm de dénivellation entre une extrémité et l'autre. Mais ils y croyaient tellement à cette patinoire qu'ils se sont accrochés; ils en ont consacré des soirées à l'arrosage! Quelle corvée! Mais ça en valait la peine!

Même si Martin était trop petit, c'était pour mon père un plaisir immense que de mettre sur pied cette patinoire et de s'occuper des jeunes des environs. Il leur montrait surtout comment patiner: avance, recule, tourne, croise. Il s'entêtait à ne sortir la rondelle que durant les quinze dernières minutes et uniquement si le cours de patinage s'était bien déroulé. À ce moment-là seulement, il permettait aux jeunes de se déplacer avec la rondelle et de faire des passes.

Mon père aime bien la philosophie des Russes: ne pas toucher trop vite à la «petite noire». Généralement, cette façon de faire ne plaît pas tellement aux parents nord-américains. Ils veulent toujours voir leur enfant avec une rondelle pour qu'il puisse la mettre dans le but. Mais les enfants de cinq ou six ans ne sont pas préparés à ça; ils sont trop jeunes.

Pour ses cours de hockey, mon père devait emprunter un amplificateur et des chandails de hockey à son ancienne paroisse, Saint-Albert-le-Grand, dans la basse-ville de Québec. Il transportait l'équipement toutes les semaines, dans sa voiture, pour faire jouer sa petite équipe.

Le maire avait bien voulu que mon père installe une patinoire, mais pour le reste il devait se débrouiller tout seul. Pour le maire, on faisait du ski au Lac Beauport, point!

Le petit groupe de hockey du Lac évoluait bien. Les jeunes prenaient l'entraînement au sérieux et des progrès se faisaient sentir. Mon père avait même sous sa tutelle les célèbres frères Laroche, les champions de ski acrobatique.

J'ai commencé très jeune à patiner. Je devais avoir à peine trois ans. J'étais tellement fière de mes petits patins. Ils étaient blancs, comme ceux de toutes les petites filles. À cette époque, jamais mes parents n'auraient imaginé qu'un jour j'exigerais des patins de garçon. Moi non plus!

Quand Martin s'est mis à jouer au hockey, vers l'âge de sept ans, Pascal a voulu imiter son grand frère. À quatre ans, il était un peu trop jeune, mais il insistait tellement qu'il a bien fallu que notre père l'accepte dans son équipe. Et après tout, n'était-il pas le patron? Comme il voulait que le plus de jeunes possible jouent, pourquoi pas Pascal?

Comme nous étions toujours ensemble, les trois enfants, je participais à tous les jeux de mes frères. Que ce soit dans la rue, dans la cour arrière ou au sous-sol, été comme hiver, nous jouions ensemble au hockey. Pendant qu'ils s'exerçaient et pratiquaient leurs passes, moi, je leur servais de gardien de but. En fait, j'étais plutôt un obstacle vivant devant le filet ou encore le troisième poteau. J'étais pleine de bonne volonté mais, comme tous les enfants de cinq ans, je n'avais pas de technique et bien peu de réflexes. Je passais des heures à essayer d'arrêter leurs rondelles. J'adorais cela.

Stimulé par la présence de ses fils au sein de son équipe, mon père participait de plus en plus à l'organisation régionale du hockey. Avec des copains à lui des villages périphériques, il mit sur pied la Ligue du Nord. Une ligue amicale, mais tout de même bien organisée, dont le principal objectif serait de permettre aux enfants d'avoir du plaisir à jouer.

Les entraînements avaient maintenant lieu tous les dimanches à l'aréna de Charlesbourg, une ville voisine. Pendant que les deux garçons suaient sur la patinoire et que le père donnait ses conseils derrière le banc des joueurs, maman et moi étions assises dans les estrades à les regarder faire et à applaudir. Ah! le beau portrait de famille traditionnelle. Mais il était écrit dans le ciel que ce portrait se modifierait. Et rapidement en plus.

Il n'était pas dans ma nature d'assister passivement à ce qui se passait. C'est bien beau de faire partie d'une famille unie mais passer des heures assise dans les estrades pour suivre les petits frères... non merci! J'avais besoin de bouger. D'autant plus que, jour après jour, ma passion germait. Doucement. Silencieusement.

Garder le but, bloquer les rondelles devenait un plaisir sans pareil. C'est à cette époque que mon fabuleux rêve a commencé: **jouer au hockey, pour vrai et toujours plus haut.** Ce rêve revenait me hanter presque toutes les nuits.

Dans l'équipe de mon père, il n'y avait que des joueurs, pas de gardien de but. Conformément à sa vision du hockey pour les tout-petits, il n'y avait jamais de parties, que des entraînements. Mais, inévitablement, le jour est venu où il se devait d'inscrire son équipe à un tournoi de la Ligue du Nord. Il a réalisé, tout à coup, qu'il n'avait pas de cerbère à mettre devant le but.

Il ne savait trop qui mettre devant le filet, car aucun de ses joueurs ne savait garder le but. Il ne voulait pénaliser personne, et les jeunes voulaient tous tellement jouer! Mon père désirait que tous aient la chance de pratiquer leur coup de patin, les stratégies d'attaque qu'il leur avait enseignées. Il savait que le joueur qui se verrait confier la tâche de garder le but le prendrait comme une punition. Il était pas mal embêté.

Je nous revois, autour de la table à dîner, mon père et ma mère discutant du problème et moi, picorant dans mon assiette, repoussant mes morceaux de tomate et faisant pirouetter mon verre de lait comme une toupie. Je ressens encore les fourmis que j'avais dans les jambes. Je me revois me tordant sur ma chaise. Et puis enfin les mots que je n'ai pu retenir: «Pourquoi pas moi? Je viens tous les dimanches voir jouer Martin et Pascal et pis moi, je ne joue jamais. Je suis dans les estrades à rien faire. Je ne fais que regarder. Je connais tous les autres gars, à part ça. Et pis, c'est toujours moi qui fais le gardien pour Martin et Pascal quand ils se pratiquent dans la cour ou dans la rue. Je serais capable... Papa... Envoye donc... Papa... Je vais le faire, moi, ton gardien de but.... Hein! Mon p'tit papa d'amour adoré, à moi toute seule...»

Le pauvre! Il était fait!

«Bon... Pourquoi pas, mon petit lapin?» lâcha-t-il.

Il fallait voir le visage de ma mère! Je lui aurais dit que je désirais une tarentule pour Noël qu'elle n'aurait pas été plus surprise.

Pensez-y! Il n'y avait pas beaucoup de parents, en 1977, qui auraient laissé leur gamine se «travestir» en garçon. Même maintenant, en 1993, l'idée qu'une fille puisse jouer au hockey n'est pas très répandue. Ma mère aurait préféré que je fasse un autre sport: du patinage artistique, de la gymnastique, ou tout simplement que je mette toutes mes énergies sur le ski alpin que je pratiquais déjà avec un certain talent, à deux pas de la maison.

«Encore du hockey! Les fistons en font, cela va de soi, mais que Manon s'y mette aussi, c'est une autre histoire!» se disait-elle.

Après quelques discussions avec mon père, elle s'est finalement rangée de mon côté: «Pourquoi pas? La petite aime garder les buts. Pourquoi l'en empêcher? J'aime tellement les sports moi-même que je ne voudrais pas que quelqu'un m'empêche d'en faire.»

Et c'est avec la bénédiction maternelle que ma carrière de gardien de but a pu commencer.

Ma passion pouvait éclore au grand jour.

Enfin, presque!

Du moins, mon rêve commençait à se réaliser.

Puis arriva le fameux dimanche où j'ai pu enfin jouer. La matinée m'a semblé interminable. Je ne pouvais rester cinq minutes en place.

Enfin, l'heure de la préparation arriva. Comme d'habitude, pour que ça aille plus vite à l'aréna, mes frères commencèrent à s'habiller à la maison. Je fis pareil. Que j'étais donc heureuse!

Au moment d'entrer dans l'aréna, mes parents me mirent tout de suite le masque sur la tête. J'imagine qu'ils ne voulaient pas que les gens sachent trop vite que j'étais une fille. Ils ne voulaient pas entendre de commentaires. Ils s'arrangeaient pour que l'on me juge sur mes performances et non pas sur le fait que j'étais une fille.

Dès les premiers moments, je me devais de prouver des choses. Parce que j'étais une petite fille qui aimait jouer au hockey avec ses frères et ses petits copains, j'étais suspecte.

Va pour les parties dans la rue ou dans la cour arrière de la maison, mais dans les arénas...

Ça bousculait les mœurs québécoises: le hockey, c'est un sport de garçons; les filles n'ont qu'à faire de la ringuette; elles ne vont tout de même pas prendre la place de MON petit gars et l'empêcher d'atteindre la Ligue nationale de hockey.

Le monde du hockey est très compétitif. Les parents prennent à cœur les performances de leurs enfants. Ça crie dans les estrades. Les parents utilisent leur influence auprès des entraîneurs, des gérants et des dépisteurs. Pour certains parents, la défaite de l'équipe de leur fils est dramatique. Ils se mettent à engueuler tout le monde, leur enfant y compris. Combien de jeunes ont laissé tomber le hockey parce que leurs parents les engueulaient trop fort et trop souvent. Quand on est jeune, on a envie de jouer pour s'amuser. Pour le plaisir, tout simplement.

Mes parents avaient compris cela. Ils nous parlaient toujours de façon positive. Leurs critiques étaient tournées de façon que nous tirions profit de nos erreurs, que nous apprenions quelque chose. Jamais ils ne nous dévalorisaient.

Ils ne nous ont jamais obligés, mes frères et moi, à faire quelque chose que nous n'aimions pas. Tant qu'on s'amusait, ça allait. Nous n'avions qu'un principe à respecter: compléter ce que nous avions entrepris.

Que ce soit en karaté, en ballet, en ski, en tennis ou en hockey, il fallait réfléchir avant de s'inscrire à des cours, car il n'était pas question d'interrompre une session déjà engagée. C'était une façon de nous responsabiliser.

Pascal et moi avons continué dans le hockey parce que c'était notre passion. Martin, lui, a préféré le ski. Cela n'a pas fait un drame. Nos parents respectaient nos choix. Ils nous respectaient.

Cette première partie de hockey, à l'aréna, fut très amusante. Les gars de mon équipe furent à peine surpris de me voir là, parmi eux. Ils me connaissaient tous et à cet âge-là, on n'a pas trop de préjugés.

Nous étions tous très excités de jouer notre première partie de hockey. Ce ne fut pas la partie du siècle. Ma performance fut tout ce qu'il y a de plus banal. Une performance d'enfant de cinq ans, empêtrée dans ses jambières, gauche avec ses grosses mitaines et perdant l'équilibre sur ses patins.

J'avais toujours mes patins blancs. Ce fut le seul détail qui trahit ma féminité.

Après la partie, j'ai demandé à mon père de limer la grosse dent au bout des patins, afin de ne plus trébucher. De toute manière, le patinage artistique... très peu pour moi. Dans ma tête, c'était décidé: je jouerais au hockey, comme gardien de but.

Je n'étais pas consciente, à ce moment-là, de l'aventure dans laquelle je me lançais. Une aventure pleine d'embûches, de politicaillerie, de batailles et de concessions.

Amputer mes patins de leur grosse dent n'était qu'une concession mineure, d'ordre pratique. Sans conséquence.

Plus tard, j'ai dû faire d'autres concessions, plus importantes, mais jamais je n'ai eu à en faire qui outrepassaient ma volonté et ma conscience. Je me suis toujours respectée dans mes décisions, dans mes actes et, la plupart du temps, j'ai gagné le respect des gens qui m'entouraient.

Hé! les gars! j'arrive!

Ma jeune carrière de gardien de but a été une suite de petits combats. J'étais toujours la première fille, celle qui ouvrait la porte. Je devais prouver que je méritais ma place. Je devais affronter les doutes de tout le monde, tout le temps.

À cinq ans, lors de ma première vraie partie, je ne me doutais pas que ce serait le lot de toute ma vie.

Cette première saison pré-novice ne fut pas très longue, mais très amusante malgré tout. J'apprenais, sur le tas, les rudiments de mon sport. Je n'avais aucune technique et les réflexes primaires d'une enfant de cinq ans. Mon coup de patin était limité, mais j'avais une volonté de fer. Je me voyais déjà au Tournoi international pee-wee de Québec, l'événement par excellence pour les jeunes hockeyeurs.

Ça faisait bien rire mes parents d'entendre ça. Ils croyaient que je rêvais en couleur. Que ça me passerait dès la fin de la saison. Que je continuerais plutôt en ski ou encore en patinage artistique.

Mais non. L'année suivante, dès le début de la saison, je me suis inscrite officiellement comme gardien de but novice, dans l'équipe de mon père.

Celui-ci était toujours fidèle à sa philosophie: on pratiquait beaucoup et on ne jouait que si on avait bien travaillé la technique et notre patin. C'était notre dessert.

Je partageais le but avec un petit copain, Guy Duchesne. Il était un peu plus vieux que moi. À six ans, j'étais trop jeune pour garder lorsque notre équipe se présentait à un tournoi atome. À ces moments-là, je devenais défenseur et lui faisait le gardien.

Je me souviens d'un tournoi où j'ai joué deux parties de suite, la première en tant que gardien dans la catégorie novice et immédiatement après, en tant que défenseur pour l'atome. Quelle gymnastique je dus accomplir pour changer de costume au bord de la patinoire!

La question de la chambre des joueurs en a toujours inquiété plus d'un. Cela intrigue beaucoup de gens.

Au tout début, il n'y avait pas de problème. Tous les enfants arrivaient à l'aréna déjà tout habillés et retournaient se doucher à la maison. C'était plus facile pour les parents. Nous étions tellement petits, nous ne pouvions pas nous habiller tout seuls.

Plus tard, il n'y a pas eu plus de problème. Je mettais mes pantalons de jogging, mon grand chandail noir à manches longues, et j'allais retrouver les garçons dans la chambre dès qu'ils avaient mis leur combinaison. Pendant qu'on continuait à s'habiller, l'entraîneur donnait ses directives.

Après la partie, j'étais la première à rentrer au vestiaire, seule un petit moment, le temps d'enlever mes vêtements mouillés, de me sécher avec une serviette et d'enfiler un survêtement. Je me douchais à la maison. Quelquefois, il y avait une petite chambre pour moi. Ça, c'était le luxe.

Que ceux que ça inquiète se rassurent: il ne s'est jamais rien passé de traumatisant dans les vestiaires. Ni pour moi ni pour les garçons. Tout se faisait avec beaucoup d'intimité et de respect de part et d'autre.

Quand je fus d'âge atome, à huit ans, la Ligue du Nord était bien organisée et fonctionnait à plein régime. Il y avait de bons tournois et j'ai dû laisser mon poste de gardien à un autre copain. Il était supérieur à moi, de toute évidence. Ça me faisait mal au cœur de ne pas garder le but, mais c'étaient les règles du jeu. C'était juste.

Comme il n'était pas question que j'abandonne le hockey, j'ai pris une place de défenseur. Dans le fond, ce fut une bonne chose pour moi. J'ai amélioré ma technique de patinage à reculons. J'ai appris à mieux tenir mon bâton, à transporter la rondelle et à déplacer les joueurs sur la bande. Cela m'a permis de voir le jeu sous un autre angle. Ce fut très instructif et ça m'a été très utile par la suite.

L'année suivante, l'autre gardien devint pee-wee et libéra la place. J'ai donc récupéré mon poste de gardien mais j'avais retenu la leçon: il fallait que j'améliore ma technique si je ne voulais pas le perdre à nouveau.

J'ai donc demandé à mes parents de m'inscrire durant l'été à une école pour gardiens de but. Ils envoyaient mes frères à des camps semblables, pourquoi pas moi?

Ils ont accepté tout naturellement de m'y amener. Cela allait de soi.

Je me revois à la table des inscriptions... Maintenant j'en ris mais, à l'époque, je ne l'avais pas trouvé drôle. Deux hommes recevaient les enfants:

— Quel est ton nom?

— Manon Rhéaume.

— Pardon, j'ai mal entendu.

— Manon Rhéaume.

— Non, tu t'es trompée. La ringuette, c'est à côté.

— Mon nom c'est Manon et je suis ici pour les cours de gardien de but au hockey.

— Hein!

— Oui! Gardien de but!

— C'est quoi, cette affaire-là? Bon, O.K. Passe. On verra bien.

Je n'oublierai jamais le regard en biais, le ton sec et moqueur de ces hommes.

Mais déjà, à sept ans, il en fallait plus que ça pour me décourager. J'ai pris mon sac de hockey et après avoir lancé un coup d'œil en direction de mes parents, je suis allée rejoindre les copains.

J'ai beaucoup profité du camp. J'ai appris plein de choses et j'ai été «ratoureuse»: quand l'entraîneur expliquait une nouvelle technique et qu'il fallait la mettre à exécution, je laissais toujours passer trois ou quatre autres gardiens. L'entraîneur les corrigeait, j'écoutais les conseils qu'il leur donnait et j'exécutais la technique en tenant compte de ce qu'il venait de dire.

Cela a porté fruit. L'entraîneur me trouvait douée et portait attention à tout ce que je faisais. Pendant cette semaine d'entraînement, j'ai appris énormément et je suis sortie de là gonflée à bloc: «Amenez-en, des rondelles!»

Je suis revenue au sein de mon équipe avec une meilleure technique, des réflexes mieux aiguisés. J'étais plus souple, plus rapide; j'avais un meilleur équilibre. J'étais solide, prête à entreprendre une vraie bonne saison. Disons que je ressemblais plus à un gardien de but.

Cette saison de 1980 s'est bien passée: gagne, perd, gagne, perd. Comme pour toutes les autres équipes. Les scores étaient toujours serrés.

Puis vint un jour où Christian Beaudouin, l'assistant de mon père, suggéra d'essayer Benoît-Luc Nolin dans les buts. Il l'avait vu dans la rue qui arrêtait toutes les rondelles avec des mouvements spectaculaires, qui faisait des grands écarts kamikazes et des arrêts à bout portant dans la mitaine. Il semblait très impressionné par les aptitudes de Benoît-Luc.

Je le connaissais bien, ce Benoît-Luc. On faisait des compétitions de ski ensemble et il jouait au hockey dans la même équipe que moi. Un très bon joueur même, mais il n'avait jamais gardé les buts durant une vraie partie. Je l'aimais bien mais de là à partager mon but, il y avait une marge.

C'est mon père qui est venu m'avertir:

— Manon, la partie de demain, tu ne la joueras pas comme gardien.

— Qu'est-ce qui se passe? Pourquoi tu me dis ça? Pourquoi je laisserais mon poste? Je l'ai gagné, je le garde.

— Manon, tu vas te calmer et tu vas comprendre. Monsieur Beaudouin voudrait qu'on essaie Benoît-Luc. Il l'a vu jouer dans la rue, près de chez lui, et il a été épaté.

— Quoi? Benoît-Luc Nolin? Mais jouer sur la glace et dans la rue, ce n'est pas pareil. En bottes et en patins... Tu le sais!

— Calme-toi. C'est pas évident que ça va marcher avec Benoît-Luc. Tu vas aller à la défense pour la prochaine partie et on va vider la question. On va le laisser aller et après ça, on en aura le cœur net. Tout le monde saura que tu mérites ta place et que Benoît-Luc n'a pas ce qu'il faut pour garder le but. Si tu laisses un doute dans la tête de Benoît-Luc et de Christian Beaudouin, ça va se promener dans la chambre. Ça va circuler partout dans la ligue. Ça va créer une situation instable. Les gens vont se mettre à faire des hypothèses et des hypothèses. Ça n'arrêtera pas. Ils vont dire que je te protège, que je te garde la place. Je veux avoir la paix. C'est important pour moi et surtout pour toi. Il faut crever l'abcès et éliminer ce doute-là sinon on aura à vivre avec très longtemps.

J'ai accepté d'aller à la défense à contrecœur, mais j'avais compris.

J'avais compris qu'il fallait que je me batte contre les doutes, les idées préconçues, les vieilles mentalités. J'étais la première fille à me risquer dans ce monde d'hommes. Je devais livrer, à huit ans, mon premier combat.

Le lendemain, donc, Benoît-Luc s'est installé dans le but à l'aréna de Saint-Augustin et moi j'ai joué à la défense. Pauvre Benoît-Luc...

Cela a dû être affreux pour lui. Très rapidement, l'équipe adverse a mené 4-0. Faire des arrêts spectaculaires sur la rue sablonnée, en bottes, ce n'est pas la même chose que sur une surface glacée, en patins. Ça rentrait de partout.

L'ironie du sort a fait que je compte le premier but de mon équipe.

J'aimais bien Benoît-Luc, je ne lui voulais pas de mal, j'étais désolée pour lui... mais disons que je souriais malgré moi.

À la deuxième période, j'entendais les commentaires des autres joueurs de mon équipe. «C'est quoi cette décision-là? Ça n'a pas d'allure. Pourquoi le *coach* ne ramène pas Manon? On va perdre.»

On a effectivement perdu 9-1. L'équipe avait perdu mais, moi, j'avais gagné quelque chose. Le doute était dissipé. Les autres joueurs m'avaient réclamée. Je sentais que j'étais leur gardien, qu'ils me faisaient confiance et qu'ils me respectaient. J'avais la satisfaction d'avoir gagné mon premier combat.

La vie venait de me donner une très grande leçon: Ce n'est pas en évitant un problème mais en lui faisant face que tu le résous.

Je l'ai apprise jeune cette leçon, elle m'a bien servi et elle me sert encore. Et quand j'en ai la chance, j'essaie de la communiquer aux plus jeunes que je rencontre.

Lors de ma dernière année atome, en 1983, la municipalité du Lac Beauport avait négocié une entente avec la ville voisine, Charlesbourg. Cette grande banlieue de Québec possédait des arénas et une grosse organisation de hockey. Je devais faire mon entrée dans un milieu qui ne me connaissait pas, qui n'était pas habitué à voir une fille évoluer sur la patinoire. J'allais devoir faire mes preuves. Encore!

Je me suis présentée avec mon frère Pascal au camp d'entraînement atome AA de cette organisation. Ça se passait bien pour nous deux. Je «tirais» un bon camp, tout allait sur des roulettes. Nous étions huit gardiens et je me suis rendue jusqu'à la dernière élimination, alors qu'il n'y avait plus que trois gardiens en lice. J'ai donné tout ce que j'ai pu, mais j'ai quand même été retranchée. Je me suis retrouvée dans la catégorie juste au-dessous, l'atome CC.

Peut-être était-ce parce que j'étais une fille et que les hommes n'étaient pas habitués à en voir une se démener devant les buts. J'étais la première à arriver dans le secteur et ils n'étaient peut-être pas prêts à accepter ce nouveau phénomène. Je ne le saurai jamais. Je devais donc refaire mes preuves à Charlesbourg, chasser les doutes.

«Qu'à cela ne tienne! Amenez-en des parties et des rondelles. Je vais vous montrer ce que je suis capable de faire.»

Je n'ai pas tardé à le leur montrer!

La première occasion où j'ai pu faire valoir mes talents, ce fut dans le cadre du tournoi d'Asbestos, ce qu'on appelle un *round robin*: tout le monde rencontre tout le monde. À notre premier match, nous avons justement affronté l'équipe d'Asbestos, les grands champions de l'année précédente. Nous avons perdu 6-1. Ça commençait mal mais, heureusement, notre équipe a tout gagné par la suite.

Finalement, nous nous sommes retrouvés en finale contre Asbestos. La veille, les journalistes avaient fait des tas d'entrevues et avaient prédit une chaude lutte entre les deux équipes. L'aréna était rempli. Il y avait une ambiance incroyable. Au bout de deux minutes, notre équipe compte le premier but. Par la suite, le jeu n'a été qu'une série de montées: d'un côté comme de l'autre. Une vraie partie de tennis.

Au début, les gens d'Asbestos encourageaient leur équipe de toutes leurs forces. C'était bien normal. Mais à la troisième période, j'ai senti un mouvement de sympathie de leur part. Ils criaient quand l'un des leurs faisait une montée mais ils m'applaudissaient quand je faisais l'arrêt. Ça m'a réchauffé le cœur. L'esprit sportif était là. Le vrai. L'esprit que tout vrai supporteur doit avoir. Cette fois-là, je n'ai pas ressenti la violence, la méchanceté d'un certain public.

La partie s'est finalement terminée 1-0. Nous avions donc détrôné les grands champions et j'ai été nommée le joueur du match.

Le lendemain, je faisais la une des journaux: «L'as des as bat Asbestos»; «Manon sort Asbestos». Ce fut ma première gloire et mes premiers contacts avec les médias.

Le tournoi d'Asbestos restera toujours gravé dans ma mémoire comme un moment très agréable. Les gens étaient gentils et je ne sentais aucune animosité, aucune haine venant du public. La compétition se faisait sur la glace, entre enfants, dans le plus grand respect de l'adversaire.

De plus, grâce à ma bonne performance, je montrais aux gens de l'organisation de Charlesbourg, que j'étais capable de supporter cette pression. Je n'étais pas un garçon, d'accord, mais ça ne m'empêchait pas d'avoir du cran et du caractère.

Je voulais leur prouver que je n'avais pas peur de la rondelle et que je pouvais encaisser autant que les garçons. Je m'étais habituée toute petite à endurer la douleur, sans pleurer. Je ne voulais absolument pas que les gens fassent des remarques du genre: «Elle pleure! On sait bien, c'est une fille. Elle est bien trop douillette pour garder le but, enlevez-la!» Je pouvais sortir de la patinoire à la fin d'un match couverte de bleus sans que personne se soit rendu compte de quoi que ce soit. Je ne grimaçais pas, je ne me frottais pas et j'étouffais mes gémissements.

Combien de fois aurais-je dû rester couchée au sol pour que l'arbitre siffle un arrêt? Je n'en sais rien, mais la seule fois où je ne me suis pas relevée, c'est parce que j'avais subi une commotion cérébrale à la suite d'une collision avec un de mes défenseurs. Je me suis réveillée à l'hôpital.

C'est à cause d'une remarque cinglante de mon père que je me tiens debout, sans faillir: «Manon, le macramé, ça ne fait pas mal. Choisis!» J'avais ravalé mes sanglots, mes larmes s'étaient figées sous les paupières et j'étais retournée devant mon but.

Cette boutade est restée ancrée dans ma tête et me fouette encore maintenant, dans les moments difficiles. Il m'est arrivé, tout récemment, lors d'une partie avec les Draveurs dans le junior majeur, de profiter d'un arrêt du jeu pour enlever mon masque afin de me frotter un œil: je voyais tout embrouillé et comme à travers un filtre jaune. Je venais de me faire couper l'arcade sourcilière par la grille de mon masque brisée par un puissant lancer. J'avais le visage en sang. Jamais je ne me serais jetée par terre, jamais je n'aurais fait un signe à l'arbitre pour qu'il arrête le jeu.

Je ne veux pas me coucher sur la glace. Je ne peux pas. C'est debout que je dois rester. J'endure mon mal, je ne dis pas un mot et je continue de garder le but.

Une famille unie

Le hockey, le hockey. Il me semble qu'en dehors de l'école, je n'ai rien fait d'autre. Si nous n'étions pas sur la glace, mes frères et moi, nous étions au sous-sol à jouer au hockey. Bien sûr que je jouais avec mes poupées et mes frères avec des blocs Lego mais au bout de cinq minutes, c'était plus fort que nous. «Est-ce qu'on joue au hockey?»

Allez! Hop! Barbie se retrouvait «cul par-dessus tête» et je me jetais sur mon bâton de hockey. BEDING-BEDANG, on repoussait tout ce qu'il y avait dans le milieu du sous-sol. Mes frères faisaient des montées, des passes, des pirouettes et moi, j'arrêtais. On faisait des concours de lancers sur les murs.

Si vous aviez vu les dégâts! Mon père n'avait pas recouvert les murs, qui étaient simplement constitués de polystyrène bleu. Notre gloire, c'était de lancer la rondelle suffisamment fort pour qu'elle se plante bien dedans et qu'elle y reste. Ça avait l'air d'une pièce en pleine démolition.

Mon plus grand plaisir, c'était de jouer au camp d'entraînement de hockey. L'hiver, ça se passait sur notre patinoire dans la cour. L'été, qu'à cela ne tienne, c'était en patins à roulettes sur le patio ou encore dans le sous-sol. Si mes frères n'étaient pas disponibles, je m'inventais des joueurs imaginaires.

Ils étaient cinq ou six à m'écouter religieusement et à exécuter mes ordres. Aux bons joueurs, je donnais des noms que j'aimais bien: Steve, Jean-Philippe, Simon. Les pas doués s'appelaient: Éric, Frédéric, des noms qui ne me plaisaient pas du tout.

Je leur expliquais une suite d'exercices à exécuter pour que je puisse faire ma sélection et je les encourageais: «Vas-y Steve!» Et je devenais Steve, le talentueux. «Vas-y Éric!» Je faisais semblant de ne pas savoir patiner, de tomber, de lancer à côté du but.

Je donnais des notes à mes joueurs, sur un tableau, et à la fin je les rencontrais un par un pour leur dire ce qui allait bien ou moins bien dans leur jeu. Ce qu'ils devaient améliorer. Ça finissait toujours par: «Tu as fait un bon camp, mais on te prendra pas.»

Curieusement, il n'y avait aucune fille dans mes camps imaginaires. Je devais sans doute faire un transfert, comme on dit en psychologie. C'était inconscient. Jamais je n'ai pensé mettre des personnages féminins dans mes jeux.

J'ai bien essayé d'embrigader mes petites voisines, quelquefois. Je n'ai pas eu beaucoup de succès. Je ne les trouvais jamais assez bonnes et ça me décourageait. Je devenais impatiente. Elles m'ont vite laissée tomber. Il faut dire que je les dirigeais pas mal sévèrement.

Je jouais aussi à l'école. J'essayais de faire participer mes frères à mon jeu, mais je n'avais pas beaucoup de succès. Au bout de cinq minutes, ils se trouvaient mille et une excuses pour se sauver. Ils n'aimaient pas l'école d'avance, alors y jouer en plus d'y aller… C'était trop leur demander. Je replongeais donc dans mon imaginaire.

L'école a toujours été, pour moi, quelque chose de très important. J'étais jalouse quand Martin partait pour l'école et que moi, trop petite, je restais à la maison. Je m'inventais des devoirs à faire, des leçons à apprendre.

Quelle joie ça a été quand j'ai commencé la maternelle, à l'école Montagnac. Enfin, je pourrais avoir de vrais devoirs à faire, au retour de l'école. Je pourrais faire comme Martin: m'installer avec mes cahiers, mes livres, mes crayons. J'aimais tellement l'école que je pleurais quand on avait des journées de congé.

Je pense que j'étais une élève facile, car j'adorais étudier. J'étais très concentrée sur ce que je faisais et j'apprenais rapidement. Je n'avais aucun mérite; c'était facile pour moi. Les professeurs n'avaient pas à m'expliquer deux fois ce qu'il fallait faire. Quand je finissais mes exercices en classe, j'en demandais d'autres. Je cherchais toujours à avoir une bonne note. Si quelqu'un dans la classe avait eu un meilleur résultat que moi, je travaillais plus fort à l'examen suivant. Je compétitionnais aussi contre moi-même. Si j'avais eu 90 p. 100 dans un examen, je voulais avoir 95 p. 100 la fois suivante, et si possible 100 p. 100.

L'esprit de compétition, je l'avais partout. Tant qu'à faire quelque chose, je voulais le réussir le mieux possible.

En deuxième année, mes résultats étaient tellement bons que le professeur voulait faire des démarches pour me faire passer directement en quatrième. Ma mère n'a pas accepté. Elle ne voulait pas que je brûle les étapes et risquer que l'école devienne une corvée trop difficile pour moi. Elle a très bien fait.

La seule matière que je n'aimais pas, c'était la géographie. Tous ces noms à retenir... Ça m'ennuyait à mourir, mais je m'appliquais tout de même.

Par contre, l'éducation physique était un véritable plaisir. Quand c'était l'heure de l'*édu*, comme on disait, j'étais la première rendue dans le *gym*. Je me donnais corps et âme.

Je me souviens d'une fois où, emportée par mon enthousiasme, je me suis élancée directement dans le mur de ciment. J'avais mal calculé mes distances et je n'ai pu arrêter ma course à temps. J'ai vu beaucoup d'étoiles mais j'en ai été quitte pour une bosse sur le front. Mon professeur, Jean Bédard, a eu plus peur que moi. Il m'a suggéré de suivre le cours plus calmement, de ne pas jouer avec ma vie.

À la maison, mes frères et moi étions élevés assez librement. Nous avions, bien sûr, des principes à respecter mais notre liberté d'expression était très grande. Très tôt, nous avons appelé nos parents par leur prénom. La situation s'y prêtait bien: nous n'avions pas tellement envie de crier «papa» vingt fois par période d'entraînement et de toute manière, il se faisait appeler Pierre par ses joueurs. Alors, ça s'est fait tout seul.

Nous étions toujours ensemble, tous les cinq.

Dès que nous avons pu tenir sur des skis, nos fins de semaine se passaient en famille, sur les pentes du centre Le Relais, la station de ski du Lac Beauport. On ne peut pas vivre à l'ombre des remonte-pentes sans se laisser tenter par la griserie de la vitesse. Il fait froid tellement longtemps dans ce coin de pays qu'il faut profiter de tous les bons côtés de l'hiver.

Pauvres parents! Ils ont tellement bien su nous faire apprécier les bienfaits du sport que nous en sommes devenus des mordus. Samedi matin sur les pentes de ski et après-midi dans les arénas. Le dimanche, c'était l'inverse. Il est arrivé quelquefois que nous ayons eu un tournoi de hockey le matin et une compétition de ski, l'après-midi. Dans ces moments-là, les parents n'arrêtaient pas de regarder leur montre et souhaitaient la fin de la partie, au plus vite. Nos changements de costumes se faisaient comme au théâtre. En courant dans les corridors.

Un sandwich et un jus vite avalés dans la voiture et hop! tirés par le remonte-pente.

Ils en ont fait du taxi pour nous, les parents. À un moment donné, ils n'en pouvaient plus. C'était trop. Ils avaient beaucoup d'énergie et un grand cœur, mais comme l'argent ne pousse pas dans les arbres et qu'une journée n'a que vingt-quatre heures, ils nous ont demandé de choisir entre le hockey et le ski. Martin a choisi le ski, car à quatorze ans, sa croissance était lente. Un bantam de 1,40 m, c'est trop petit.

Sans hésiter, Pascal et moi avons opté pour le hockey. Nous adorions skier mais la passion pour la «petite noire» était trop forte, pour tous les deux. Déjà à dix et onze ans. Nous avons continué à skier en dilettante, pour le plaisir. Au grand dam de mon entraîneur de ski. Il considérait que j'avais beaucoup plus de chances de réussir en ski. Il me voyait déjà dans l'équipe nationale, voire aux Jeux olympiques. Alors qu'en hockey… il ne me prédisait pas longue vie.

Nicole et Pierre nous ont toujours dit que nous étions leur plus grande richesse, que nous les gardions jeunes et que nous suivre partout était leur plus grand plaisir. Ils étaient nos plus grands supporteurs. Quand l'hiver et ses tournois de ski ou de hockey était terminé, c'est vers le terrain de baseball que nos énergies se déplaçaient. Nos parents nous emmenaient partout. Ce n'était pas une corvée pour eux même si c'était fatigant.

Je me souviens d'une dispute entre maman et moi. La seule dans toute notre vie. Elle devait être crevée de fatigue et moi je m'étais permis un caprice.

C'était en plein été. Une grosse chaleur humide rendait nos gestes pénibles. Maman nous avait conduits un peu partout toute la journée. Nous revenions du terrain de balle. En sortant de la voiture, la marmaille que nous étions s'est mise à piailler: «Il fait chaud, il fait beau, on va se baigner dans la cour. Fais-nous de la pizza, s'il te plaît, maman. Pizza! Pizza! Pizza!»

Pendant que nous avions du plaisir à nous rafraîchir dans la piscine et que nous criions comme des Tarzans, maman faisait sa pâte à pizza. Elle avait sûrement aussi chaud que nous et aurait préféré sauter à l'eau, elle aussi.

La pizza prête, pas moyen de nous convaincre de rentrer. Nous nous amusions trop bien et avions oublié notre faim. Elle a fini par monter le ton et par nous faire sortir de l'eau et nous mettre en pyjama. Nous aurions dû comprendre, dès ce moment, qu'elle avait atteint les limites de sa patience.

Mais non. Nous nous sommes assis à table en nous bousculant dans une cacophonie de rires et de cris. Elle a commencé par servir Pascal et, au moment où elle m'a glissé une pointe de pizza dans l'assiette, je me suis mise à hurler et à brailler: «Tu as mis des champignons. Je la mange pas. Tu n'as pas pensé à moi. Tu n'as pensé qu'aux garçons. J'en veux pas.» Elle est restée la spatule en l'air, les lèvres serrées et les yeux prêts à lancer des boulets de canon.

Martin, en grand frère raisonnable, m'a lancé: «Tu n'as qu'à les enlever, les champignons, Manon. Fais pas une crise pour ça.» «Non. Je veux pas les enlever. Ça m'écœure. C'est gluant. Enlève-les, maman.»

Normalement, maman pensait toujours aux champignons. Elle faisait une pizza moitié pour les garçons, toute garnie, et une moitié pour *Miss*, sans champignons. Eh bien! cette fois, elle avait oublié. La fatigue, sans doute.

C'est sans doute la fatigue, encore, qui lui a fait prendre le morceau de pizza qu'elle a écrabouillé et projeté sur la table avec grand fracas.

Elle était hors d'elle.

Elle a tout plaqué là.

Elle a attrapé les clés de sa voiture et est sortie en courant de la maison.

Je me suis mise à hurler: «Va-t'en pas! Je t'aime!»

Dans ma petite tête d'enfant de dix ans, je m'imaginais qu'elle nous abandonnait pour toujours et que nous ne la reverrions plus. Je ne réalisais pas qu'en peignoir, sans argent et sans permis de conduire, elle ne pouvait pas aller bien loin. J'ai pleuré toutes les larmes de mon corps. J'étais au désespoir. Au bout d'une demi-heure, elle est revenue. Tout était calme dans la maison. Nous avions ramassé les dégâts.

Nous nous sommes jetées dans les bras l'une de l'autre et nous nous sommes consolées. Elle avait pleuré autant que moi, au bout de la rue, dans le noir, seule. Dans le silence. Enfin!

Nous sommes allés nous coucher, tout le monde, heureux d'avoir retrouvé notre mère. J'ai dormi avec elle, cette nuit-là. Nous nous sommes dit tout plein de belles choses, au creux de l'oreille. Je lui ai promis de ne plus faire de crise à cause des champignons et elle m'a juré qu'elle ne nous quitterait jamais. On a pu, finalement, dormir tranquilles.

Par la suite, maman a toujours fait attention à ne pas mettre des champignons dans ma pizza, mon plat préféré, et j'ai pris garde à ma façon de parler.

Ma relation avec ma mère est très spéciale. J'avais des petites copines de mon âge, bien sûr, mais maman a toujours été ma meilleure amie. Nous étions très proches l'une de l'autre, très complices. Sauf pendant une courte période, lors de mon adolescence, nous nous sommes toujours tout dit. Je lui contais tous mes tracas, mes peines, mes peurs. Et elle me confiait ce qu'une petite fille peut comprendre. Notre relation a évolué. Nous sommes maintenant deux femmes et la complicité est encore plus grande.

Nicole et Pierre nous ont donné beaucoup de leur temps. Toutes les fins de semaine, toutes leurs vacances y sont passées. Et ils le font encore, même si nous sommes maintenant dans la vingtaine.

Ils suivent de très près la carrière de Pascal, dans la Ligue junior majeur du Québec. Il joue pour les Faucons, à Sherbrooke. Ils assistent à toutes ses parties, que ce soit à Montréal, à Drummondville ou à Trois-Rivières. Beau temps, mauvais temps, ils prennent la route.

Ils essaient aussi de suivre ma carrière, mais la distance qui nous sépare coupe bien des élans. Atlanta, ce n'est pas la porte à côté. Lors de ma première année à Atlanta, ils ne sont venus qu'une fois. Heureusement que le téléphone existe.

Manon première

Ma carrière pee-wee fut la suite logique de ce que j'avais vécu au niveau atome. Je ne saisissais pas encore toutes les magouilles, mais j'étais plus lucide. Les injustices me faisaient plus mal.

Encore une fois, lors du camp d'entraînement AA, je me suis fait retrancher pour me retrouver dans la catégorie au-dessous, le CC.

J'avais pourtant bien travaillé pendant le camp.

À onze ans, mon corps n'était pas encore très développé et on ne pouvait deviner que j'étais une fille. Un jour, dans les estrades, un spectateur qui me connaissait bien, Monsieur Tanguay, a lancé un défi à un dépisteur qui était assis à côté de lui: «Dans les six gardiens de but que tu vois en bas, il y a une fille. Trouve-la!» Il ne m'a jamais trouvée. Il cherchait des gestes efféminés, mais c'est chez d'autres qu'il les a décelés. C'étaient d'autres gardiens qui avançaient, reculaient ou arrêtaient en «femmelette».

Il a bien cherché, il a fait des suppositions, mais il n'a jamais trouvé LA FILLE.

Quand je suis sortie de la patinoire, je me dépêchais pour aller me changer dans la chambre, avant les gars. Monsieur Tanguay m'a arrêtée pour me dire: «Manon, enlève ton masque. Monsieur ne veut pas croire que tu es une fille.» Il a fallu que je m'exécute. Quand cet homme a vu les petits anneaux que je portais aux oreilles, il n'en est pas revenu. J'étais le seul gardien dans lequel il n'avait pas reconnu des gestes efféminés.

Malgré ma bonne performance, l'entraîneur ne m'a pas retenue. J'étais tellement déçue de ne pouvoir jouer au niveau AA. J'ai pleuré, pleuré, car j'aurais aimé vivre l'expérience de jouer dans cette catégorie.

Quelques jours plus tard, mon père m'a prise sur ses genoux et tout doucement m'a répété les paroles de l'entraîneur que des amis à lui avaient entendues: «En aucun cas, je n'aurai de filles dans l'équipe.»

Pierre m'a expliqué que cet homme m'avait laissée faire le camp pour la forme, un peu obligé. Et que je l'avais dérangé parce que j'avais réussi à tenir mon bout. Et qu'il m'avait sacrifiée en disant que de toute façon, je ne pourrais pas subir les tournois, que je ne résisterais pas à la pression.

Cette nouvelle gifle ne m'a découragée que pendant très peu de temps. J'ai séché mes larmes et je me suis servi de cette mésaventure pour me motiver encore plus: «S'ils pensent qu'ils vont m'avoir, me faire arrêter pour ça! Ça fait longtemps que je veux aller au Tournoi international pee-wee de Québec, ils ne m'en empêcheront pas. À un moment donné, ils vont casser. Ils vont voir de quoi je suis capable.»

J'étais donc prête mentalement à faire du pee-wee CC. Je me sentais comme une lionne qui part à la chasse pour ses petits.

Heureusement, c'était Pierre qui dirigeait cette équipe. Avec lui, j'étais certaine de ne pas être victime de préjugés.

Cela faisait un an qu'il était en «sabbatique d'entraîneur». Il s'était contenté de regarder ce qui se passait sur la glace, du haut des estrades. Ça lui avait permis d'écouter ce qui se disait, les commentaires sur l'entraîneur, sur les enfants, sur les décisions, etc. Il avait décelé de la haine chez certaines personnes. C'est à ce moment-là qu'il a réalisé que le monde du hockey est une jungle, un milieu où la jalousie et les magouilles sont monnaie courante, un champ de bataille où la guerre est continuelle.

Il revenait donc à sa tâche d'entraîneur avec une nouvelle vision du hockey. Il avait changé son approche. Il a pris comme assistant un psychologue, Michel Fiset. Il lui a expliqué qu'il voulait qu'il l'aide à organiser une équipe où les jeunes s'amuseraient en jouant au hockey, une équipe où les adultes seraient là pour les enfants, pour les aider à s'amuser et non pas pour se faire valoir, eux. Il voulait aussi que les parents participent à l'administration et à la recherche de commandites. Michel Fiset a tout de suite accepté de participer à cette aventure.

Pour choisir les joueurs au cours du camp d'entraînement, Pierre et Michel Fiset avaient mis au point un tableau d'évaluation pour les coter. Tous leurs gestes étaient évalués selon des critères très précis. Tout était reporté sur le tableau. Cela donnait un portrait très juste de chaque joueur. La sélection était précise et inattaquable. Les joueurs ont été choisis selon leurs qualités sportives et non parce que Pierre et Michel connaissaient leur père ou leur mère. C'était nouveau comme façon de faire, dans le hockey pee-wee.

Quant à la sélection des gardiens de but, Pierre n'a pas voulu s'en mêler. Pour avoir la paix, pour ne pas être taxé de favoritisme par les autres parents, il a demandé qu'un comité soit formé pour nous évaluer, moi et trois autres gardiens. Il les avait avertis qu'il accepterait leur décision quelle qu'elle soit et qu'il serait l'entraîneur, avec ou sans moi. Ce fut fait selon ses désirs; j'ai été sélectionnée haut la main en même temps que Nicolas Savard. La différence de calibre n'était pas grande entre nous deux. Le principe de l'alternance allait devoir être toujours respecté. Ce serait chacun notre tour à garder les buts. La rotation, quoi qu'il arrive. Ce principe fut toujours suivi.

Notre petite équipe allait bien. Les parents s'occupaient de leurs tâches, nous jouions en nous amusant et nous avions des résultats intéressants. Le Tournoi international pee-wee de Québec s'annonçait. Au niveau pee-wee CC, toutes les parties sont importantes, car il n'y a qu'une équipe par localité qui peut participer à ce tournoi de grande envergure. Tout se décidait vers le 15 décembre, lors de notre dernière partie.

Comme nous étions parmi les équipes en tête du classement, les parents et les amateurs qui suivaient le hockey pee-wee commençaient à penser à la possibilité de m'y voir participer. Les journalistes aussi.

Peut-être verrions-nous une fille au Tournoi pee-wee? Ce serait la première en vingt-cinq ans. Les journalistes rôdaient autour de moi, m'interviewaient. Toute l'attention était dirigée vers moi.

Pierre et Michel avaient peur que cela perturbe l'esprit d'équipe. Ils devaient faire attention aux autres joueurs, leur expliquer qu'eux aussi étaient importants.

Toute cette attention médiatique nous mettait beaucoup de pression sur les épaules. Les autres équipes aussi lisaient les journaux et quand elles nous rencontraient, le jeu était plus dur. Les adversaires mettaient toute la gomme. Je me souviens d'une fois où la tension était telle que mes coéquipiers pleuraient sur le banc des joueurs.

Heureusement que Michel était fin psychologue. Il a réussi à nous faire retrouver notre tempo et nous avons finalement terminé premiers de notre ligue de Charlesbourg.

Dès que le classement fut officiel, les journaux se sont emparés du phénomène médiatique: «Manon va faire le Tournoi pee-wee, la première fille en 25 ans.»

Comme chaque année, une conférence de presse fut organisée au Patro Rocamadour, un centre de loisirs très connu dans la ville de Québec. J'étais traitée en princesse. Le paquet de ballons gonflés à l'hélium, les photos, les questions. Il n'y en avait que pour moi. Ça me gênait de voir que mes compagnons n'étaient là que pour la forme.

Tout de suite après la conférence de presse, nous partions, toute l'équipe, pour un tournoi à Jonquière. En mettant les pieds dans l'autobus, j'ai laissé aller les ballons que j'avais pris soin de prendre avant de sortir de la salle de conférence: «Ça, c'est pour nous tous. Pour gagner le tournoi de Jonquière.»

J'avais compris que, si je voulais aider à préserver l'esprit d'équipe, je devais partager les honneurs et les gloires. Tout ce que je désirais, c'était être considérée comme un joueur. Traitée comme tous les autres joueurs.

Nous avions une bonne équipe mais ce n'était pas toujours facile. Il fallait que Pierre et Michel travaillent continuellement en coulisse pour maintenir l'esprit d'équipe, pour nous garder unis.

À cause de ma popularité, une compagnie d'équipement de hockey a pris contact avec mon père. Leur représentant voulait me donner des bâtons. Mon père était bien content mais il lui a fait comprendre que pour le bien de l'équipe, pour qu'il n'y ait pas de jalousie, il était important que tout le monde en profite. Il voulait bien accepter ces bâtons mais à la condition que la compagnie en donne à tous les autres joueurs.

Le représentant accepta; tout le monde était content.

Il revint un autre jour, avec un casque de gardien de but. Il lut tout de suite, dans le regard de Pierre, les conditions auxquelles il devrait se soumettre: un casque pour Manon, un casque pour tout le monde. Il trouvait Pierre dur en affaires mais si on voulait préserver la paix dans l'équipe, il fallait gâter tout le monde. Je n'ai jamais rien eu de plus que les autres.

Plus on approchait de la date du fameux Tournoi pee-wee, plus la pression médiatique devenait forte. Quand des journalistes entraient dans la chambre pour m'interviewer, c'était à la condition qu'ils posent aussi des questions à l'autre gardien, Nicolas Savard, ainsi qu'à d'autres joueurs. Les journalistes ont accepté notre jeu parce qu'ils nous sentaient sincères dans notre démarche. La célébrité devait être partagée.

Le Tournoi international pee-wee de Québec n'est pas une petite affaire. Ce tournoi se tient chaque année, à l'époque du carnaval d'hiver. En 1983, lors de ma première participation à ce tournoi, 102 équipes étaient inscrites. Les organisateurs avaient dû en refuser une centaine d'autres. Parmi les équipes présentes, il y en avait 22 des États-Unis, 2 de Suisse, 1 de France et 1 de Finlande.

Cela en fait du petit monde à loger, à nourrir et à coordonner. Ce sont les citoyens de Québec et des environs, 600 familles, qui les reçoivent et qui les adoptent pour deux semaines. C'est une expérience extraordinaire à vivre, autant pour les joueurs que pour les citoyens.

Participer au Tournoi international pee-wee de Québec était la deuxième étape de mon rêve. À cinq ans, quand j'avais lancé à mes parents qu'un jour je participerais à ce tournoi, ils l'avaient pris pour une boutade. Mais moi, j'étais sérieuse. Le rêve fou se poursuivait.

Le matin de la première journée du tournoi, le 11 février 1984, j'ai dû répondre à des dizaines de journalistes. Une équipe de la télévision de Toronto est même venue filmer chez moi. J'ai parlé sur les ondes de presque toutes les stations de radio de la Vieille Capitale. Ma présence causait tout un émoi.

Le 15 décembre 1983, Jacques Arteau, dans un article du *Soleil*, le grand quotidien de Québec, avait souligné la nouveauté: «Il faut se rappeler que la participation à ce tournoi était exclusivement une affaire de gars. À l'article cinq des règlements du tournoi, concernant l'éligibilité des participants, la toute première condition était ainsi libellée: **un joueur pour être éligible doit être de sexe masculin.** Cette restriction discriminante pour l'élément féminin fut biffée depuis le tournoi de 1980.»

Moi, Manon Rhéaume, j'osais entrer par la porte entrouverte.

Wow! Quelle joie de sauter sur la glace du Colisée de Québec, plein à capacité. Surtout lorsque la foule de 15 000 personnes applaudit à tout rompre. Pour des gamins de onze ans, c'est incroyable. On est tellement petit à cet âge-là.

Quand j'ai vu tous ces gens, j'ai failli tomber à la renverse. C'est haut le Colisée! Les estrades n'en finissent plus. Les *spots* nous aveuglent. Le bruit nous étourdit.

Mes copains et moi avions l'air de zombis: la bouche ouverte, les yeux exorbités, les gestes raides comme des robots. Nous nous sommes échauffés du mieux que nous pouvions.

Je me rappelle ces moments-là comme si c'était hier...

Je me revois au **garde-à-vous**, fixant le drapeau et écoutant religieusement l'hymne national. Concentrée. Presque en transe.

Tout ce que je veux, c'est que la partie commence. Je suis pleine d'adrénaline et s'il faut qu'on me demande de rester immobile une minute de plus, mes jambes vont se mettre à patiner toutes seules.

Enfin, la musique arrête et les gens dans les estrades applaudissent. Il me semble qu'ils scandent mon nom.

Mais voilà qu'on me fait signe d'approcher de la bande. On m'explique que quelqu'un, un type, veut se faire photographier avec moi. Je le regarde. Je ne sais pas qui c'est et n'en ai rien à foutre. Si au moins c'était Michel Bergeron, l'entraîneur des Nordiques ou le gardien de but, Daniel Bouchard, mon idole. Mais non!

Je réponds, sûre de moi: «Non, je ne peux pas. J'ai comme consigne et habitude, la journée d'un match, de me concentrer sur la partie. De ne rien faire d'autre.» Un malaise s'installe parmi les gens autour de moi.

Mon père me fait signe d'approcher du banc de l'équipe et me dit: «Manon, c'est Ed Broadbent, un homme politique, un monsieur important. Laisse faire la consigne pour aujourd'hui et va te faire photographier avec lui. Tu te reconcentreras après. Il n'y aura pas de problème.»

Je lui lance: «De toute façon, la consigne, aujourd'hui...»

Je me plie donc à cette nouvelle séance de photos tout en essayant de garder ma concentration.

À onze ans, déjà, j'apprenais à composer avec la pression des médias: avant, pendant et après les matches.

Finalement, la partie commence. On joue contre les Indiens d'Hobbema, d'Alberta. Cela me rend très nerveuse de jouer dans ce Colisée plein à craquer, et je sens aussi la tension de mes coéquipiers. Mais je me dis que les gars d'Hobbema doivent être aussi impressionnés que nous. Toutes les stratégies, tous les jeux d'attaque expliqués maintes et maintes fois par Pierre ne sont plus que vagues notions. Nous jouons par réflexe.

Depuis le début de la partie, le jeu se déroule à l'autre bout de la patinoire. Je m'ennuie et commence à m'impatienter. Le temps me semble long.

Enfin, le jeu se dirige vers moi. Les Indiens attaquent. Un premier lancer et... Ah non! C'est pas vrai! La rondelle est rentrée dans le filet. J'encourage mes coéquipiers. «Allez! Il ne faut pas se laisser abattre. On se reprend, les gars.»

Je les sens très nerveux. Ils se parlent sur la glace comme ils ne l'ont jamais fait.

Je me ressaisis et commence à faire de beaux arrêts.

Je sens la foule qui m'encourage, je l'entends m'applaudir, je la vois se lever quand je résiste à la rondelle. Le fait que je sois une fille m'attire leur sympathie, mais je préférerais que ce soit uniquement mes performances qui les fassent s'exclamer ainsi.

Les flashes de caméra sont aveuglants. J'essaie de rester concentrée sur le jeu.

Pendant l'entracte, Pierre et Michel réussissent à nous calmer et nous retrouvons nos moyens. La partie se termine 12-2, en notre faveur. Le pauvre gardien de l'équipe adverse n'y a vu que du feu surtout à cause de Sébastien Drapeau et de Sylvain Hains qui ont compté chacun trois buts.

Nous étions tous tellement contents.

La deuxième partie du tournoi, contre l'équipe de Lauzon, fut semblable à la première sauf que c'était au tour de Nicolas Savard de garder le filet. Nous l'avons gagnée également.

Nous nous sommes fait éliminer, en demi-finale, par l'équipe de Loretteville. Ce fut un beau match, perdu 3 à 1.

Ce tournoi a été toute une expérience à vivre. Que d'émotions! Que de joies!

Les médias avaient tellement couvert l'événement que les gens me reconnaissaient quand je me promenais dans le Colisée, une fois mon équipe éliminée. J'étais timide et je rougissais quand on me demandait de signer des autographes.

Dans la vie d'un joueur de hockey, le Tournoi pee-wee de Québec est souvent le début d'une grande carrière. Plusieurs vedettes y sont passées: Wayne Gretzky, Guy Lafleur, Daniel Bouchard, Marcel Dionne, Gilbert Perreault.

Ces moments sont inoubliables.

Normalement, les hockeyeurs jouent au niveau pee-wee pendant deux ans. Mais l'année où j'aurais dû devenir bantam, en 1986, il y a eu un changement d'âge. Les dirigeants de hockey voulaient que les joueurs soient plus forts, plus grands avant d'arriver au bantam.

Ça m'a donné la chance, à treize ans, d'aller au tournoi pee-wee pour une troisième fois. De revivre la belle aventure.

C'est fou ce que les médias peuvent faire! La petite fille inconnue du Lac Beauport, la petite Cendrillon, devenait du jour au lendemain une princesse. Les médias s'emparant de la nouvelle, une vie ordinaire se change en conte de fées.

Pour moi, ce n'est pas un conte de fées. Je le répète. C'est un rêve qui se réalise.

En fouillant dans l'album de photos et d'articles de journaux que ma mère tient à jour pour moi, j'ai retrouvé un vieil article du journal *Le Progrès Dimanche*. J'y disais, après le tournoi de Jonquière, le 15 janvier 1984: «Un jour, une femme évoluera au niveau de la Ligue nationale de hockey. Si personne ne l'en empêche.»

Vision prémonitoire...

On ne le sait pas encore!

Le dur apprentissage
d'une dame de fer

Le monde du hockey est dur, compétitif, voire agressif et méchant. La compétition sur la glace, entre enfants, c'est sain et normal. Mais dans les estrades, entre adultes, c'est autre chose. Je peux comprendre parce que le hockey, c'est un peu comme la drogue ou la religion, mais il y a des choses qui sont inacceptables.

Quand on voit un homme se faire nommer directeur d'une équipe pour être certain que son fils va être choisi; quand on se rend compte de toute la politicaillerie, de tous les jeux qui se jouent en coulisse, de toutes les mesquineries qui peuvent même devenir dangereuses, on se dit que le monde est «dérangé», que c'est rendu trop loin.

J'ai dû faire face à toutes sortes de mesquineries, dès mon plus jeune âge.

En général, à partir d'atome CC (moment où j'ai commencé à gagner des trophées en tant que meilleur gardien de but), les parents dont les enfants n'étaient pas en compétition directe avec moi éprouvaient de la sympathie pour cette petite fille de neuf ans qui s'immisçait sans aucun complexe dans un monde très masculin. Ils reconnaissaient mes capacités et ma valeur.

Mais dès qu'un peu de jalousie prenait place, dès qu'un parent de gardien de but commençait à faire des calculs, certains se mettaient à glisser des petites phrases à l'entraîneur pour semer le doute dans son esprit: «Oui, mais elle n'a pas l'expérience d'un autre»; «Elle va claquer dans les tournois»; «Ça va poser des problèmes dans la chambre des joueurs. Atome, ce n'est pas grave mais quand ça va être du pee-wee...»; «Elle enlève une place à mon gars. Il pourrait se rendre jusqu'à la Ligue nationale. Pas elle»; «À quoi ça sert de développer une fille?»

Il fallait toujours que je perde un an pour arriver à dissiper les doutes. On finissait toujours par reconnaître mes talents mais j'avais poireauté inutilement dans une catégorie plus faible ou encore j'avais eu moins de glace qu'un autre.

J'ai dû commencer très jeune à me battre pour prendre ma place. C'est incroyable le temps que j'ai perdu à prouver ce que je pouvais faire. C'est dommage. C'est déjà difficile pour un garçon de passer à travers toutes les politicailleries; pour une fille, je crois que c'est deux fois plus.

Heureusement, je n'étais pas toute seule dans ce champ de bataille. Mes parents veillaient au grain. On ne pouvait pas briser le système et ses coutumes, il fallait composer avec lui. Pierre s'est acharné contre le scepticisme et les préjugés des gens. Il a dû mettre au point une stratégie qui prouvait hors de tout doute que je pouvais avoir ma place dans le «merveilleux monde du hockey».

Chaque fois que je participais à un camp d'entraînement, Pierre insistait pour que l'entraîneur me teste dans les mêmes conditions que les autres gardiens, devant tout le monde. Il tenait à ce que je garde le but pendant la même partie que l'autre gardien: moitié-moitié. Personne ne pourrait dire: «Oui, mais elle a gardé contre une équipe moins forte...» Il ne voulait pas laisser place au doute.

Moi non plus, ce qui m'obligeait à toujours offrir de bonnes performances.

Très jeune, je pouvais jouer sur une patinoire, pour le plaisir uniquement, en faisant des folies. Tous les joueurs que je connais le font, pour se détendre. Moi, depuis long-temps, je ne peux plus: je m'oblige à *performer* au cas où quelqu'un me regarderait, m'observerait, me jugerait.

Qu'il y ait 3, 10, 100, 15 000 personnes dans l'aréna, je sens que les gens m'observent. Il faut que je fasse attention à tous mes gestes. Je dois toujours bien faire. Que deux ou trois rondelles me passent entre les jambes, l'une à la suite de l'autre, et me voilà jugée et classée: «Une vraie passoire! Elle n'arrête pas les rondelles.»

Je ne peux pas me permettre d'être détendue, de jouer d'une façon négligée comme tout autre joueur en a envie, une fois de temps en temps. Même si les gens qui me regardent n'y connaissent rien en hockey, je tiens à bien faire.

C'est comme ça depuis que je me suis rendu compte de ce qui se passait autour de moi. Dès que j'ai été assez âgée pour être consciente des injustices que je subissais. Depuis le niveau pee-wee. Depuis mes treize ans.

Dans mes derniers mois en tant que pee-wee, je tra-vaillais très fort. Je visais le bantam AA. Rien de moins.

Je voulais faire le camp d'entraînement AA et dans ma tête, il n'était pas question qu'on me retranche et qu'on m'en-voie dans le CC. Pas cette fois-ci. Pas encore une déception.

Ce camp s'est finalement très bien passé. Pierre Brind'Amour, un ancien des Nordiques, m'a confié un poste de gardien dans son équipe bantam AA. La confiance qu'il avait en moi m'a fait du bien, m'a rassurée. Il l'a fait d'une façon spontanée, sans réserve et sans calcul.

Il arrivait sans préjugé, sans personne à protéger et à placer. Il apportait sa grande expérience, son jugement et sa crédibilité. Il m'a donc donné autant de glace qu'à l'autre gardien… la première année.

Les journalistes qui m'avaient connue quand je jouais au niveau pee-wee continuaient à s'intéresser à moi. N'étais-je pas la première fille à atteindre le niveau bantam AA?

Tout ce battage médiatique inquiétait un peu Pierre Brind'Amour. Après avoir pris conseil auprès de mon père, il appliqua la même philosophie: pour préserver l'esprit d'équipe, il fallait que les autres joueurs aient aussi l'attention des médias. En somme, il fallait partager sueur et honneur.

Malgré la bonne volonté de l'entraîneur, la guerre des nerfs était de plus en plus dure. L'idée que je prenais la place de futures stars de la Ligue nationale était de plus en plus présente. Certains parents devenaient de plus en plus mesquins et de moins en moins subtils.

Je me souviens d'un tournoi où j'avais été choisie comme gardien partant. Tout à coup, j'entends dans les estrades un brouhaha d'enfer. C'était le père de mon collègue qui n'acceptait pas du tout, mais alors pas du tout, que ce soit moi qui garde le but. Il est sorti de l'aréna en furie, le geste violent et le verbe fort.

Normalement, je ne suis pas dérangée par ce qui se passe dans les estrades mais cette fois, on le faisait avec tellement d'éclats qu'il aurait fallu que je sois complètement sourde et aveugle pour ne pas m'en rendre compte.

Cela m'a complètement déconcentrée. Je ne faisais que penser à la discussion que j'aurais avec l'entraîneur, avec l'autre gardien et qui sait avec l'enragé lui-même...

Cela ne me faisait pas peur. À quatorze ans, j'étais déjà capable de me défendre et de ne pas m'en laisser imposer. Mais je ne pouvais faire autrement que d'être préoccupée par ce qui venait de se passer. Ce personnage, après tout, était le directeur de la ligue, donc le patron de Pierre Brind'Amour. Mais celui-ci en avait vu d'autres. Heureusement pour moi. Il m'a donné ma chance... aussi longtemps qu'il a pu.

Le négativisme de certaines personnes frisait parfois la méchanceté.

Il est arrivé quelquefois, je le savais toujours par la bande, que les joueurs de l'équipe adverse reçoivent la consigne de lancer au visage, autour des yeux. Ou encore de me rentrer dedans et de m'écraser dans le fond du but. Ils voulaient me faire peur.

Tous les moyens sont bons pour gagner une partie.

Un joueur avait tellement fait sienne cette directive qu'il ne faisait que cela. C'en était ridicule. Mon père m'a suggéré un truc pour me défendre: appuyer mon bâton dans le fond du filet, pointant avec l'autre extrémité l'endroit le plus sensible de l'anatomie masculine. Je ne l'ai jamais fait. Pourquoi me venger? Parce que dans le fond, pendant qu'il pensait à me défoncer, il ne pensait pas à son jeu et était déconcentré.

Au fond, les entraîneurs qui dictaient cette conduite nous aidaient à gagner parce que les joueurs, au lieu de se concentrer sur leur plan de match, ne pensaient qu'à un seul joueur. Moi. Moi qui n'ai pas peur des rondelles et qui suis capable de les arrêter. C'était un bien mauvais calcul de leur part.

À ma deuxième année bantam, en 1987, la pression du milieu a sans doute fait que je me suis retrouvée plus souvent qu'autrement sur le banc. J'avais beaucoup moins de glace que l'autre gardien.

Pierre Brind'Amour devait se sentir menotté par la coutume qui veut qu'on ne développe pas de filles au niveau supérieur, le midget AAA. Dans notre ligue, dans la ville de Sainte-Foy, c'était impensable.

Il y avait une ligue de ringuette pour les filles. Bien organisée, à part ça! Pourquoi donc développer le talent d'une fille qui ne pourrait pas aller plus loin? Autant mettre tous les efforts sur le gars, celui qui avait des chances de continuer.

J'ai réagi en essayant de mieux *performer* afin de montrer à tous qu'ils avaient tort de penser comme ça. Si bien que, lors d'un tournoi, un dépisteur du junior majeur chassant le cerbère pour le niveau midget me mit sur sa liste de gardiens de but à sélectionner. C'est avec un air désolé qu'il raya mon nom. Il aimait mes déplacements, mon style, mes réflexes. Mais il venait de réaliser qu'il y avait une fille derrière le masque et c'était impossible qu'une fille se retrouve au niveau midget AAA. Il n'y pouvait rien. Désolé!

L'éternel combat!

Il n'y a aucune obligation, aucun règlement qui impose d'inviter les gardiens du bantam AA au camp d'entraînement du midget AAA. Ce n'est qu'une coutume. Bien sûr, je n'y ai pas été invitée. J'aurais dû m'y attendre. Il est vrai que les coutumes sont faites pour être transgressées.

Résignée, j'ai donc participé au camp midget AA. Un des postes était déjà accordé à un gardien. Il restait donc une place disponible que je devais disputer à un gardien qui venait tout juste de se faire retrancher du AAA. Les dirigeants ont accepté de me laisser la chance de leur prouver que j'étais capable de faire un bon boulot. Mais peine perdue. Leur idée était faite. Je ne jouerais pas pour cette équipe.

J'ai beaucoup pleuré. Ma mère m'a même dit: «Écoute, Manon, ça ne marche plus. Arrête. Ça veut dire que tu ne peux pas aller plus haut.»

Ça m'a secouée. M'arrêter? Maintenant? Mais j'ai encore le goût, moi. J'allais donc continuer... mais dans le CC, un niveau presque récréatif.

J'étais découragée. Je voyais que je ne pouvais pas aller plus loin.

À cette époque, en 1988, tout le Québec était captivé par un téléroman qui racontait les péripéties d'une équipe de hockey: *Lance et compte*. À l'école, nous ne parlions que de ça. Les élèves s'identifiaient aux personnages et croyaient à toutes leurs histoires.

Je me disais que si Réjean Tremblay, l'auteur de *Lance et compte* et journaliste à *La Presse*, mettait dans son scénario une fille qui était invitée à un camp de haut niveau, ça pourrait peut-être donner une chance à celles qui me suivraient. Ce ne serait plus nouveau comme phénomène, puisqu'on l'aurait vu à la télévision. Ça deviendrait peut-être plus acceptable.

J'ai téléphoné à *La Presse*, disant à la réceptionniste que c'était pour un projet d'écriture. Chance inespérée, on m'a donné son numéro privé à Montréal. J'ai réussi à entrer en contact avec lui.

Il m'a dit que ce n'était pas une mauvaise idée mais qu'il verrait plutôt une fille qui se coupe les cheveux et qui a l'air d'un garçon pour se faire passer comme tel jusqu'au moment où dans les vestiaires...

Je ne voyais pas cela ainsi du tout. Je voulais une fille qui avait l'air d'une fille et qui se fasse accepter comme n'importe quel joueur.

Nous n'étions pas d'accord mais il trouvait l'idée inté-ressante. Il a accepté de me rencontrer lors d'un de ses voyages à Québec. Il m'avait expliqué comment et où le rejoindre. J'ai téléphoné plusieurs fois à son hôtel, il n'était jamais là. Je n'ai jamais réussi à le voir.

J'ai envoyé une lettre recommandée à *La Presse*, pour être certaine qu'il la recevrait. Je n'ai jamais eu de nou-velles. J'ai laissé tomber. Je n'étais probablement pas faite pour être scénariste et je me suis contentée d'aller jouer avec ma petite équipe récréative.

À ce niveau, ce n'est pas très sérieux. Il n'était pas rare que l'on se retrouve à six ou sept lors des entraînements. Les joueurs arrivaient cinq minutes avant, ne s'échauf-faient pas vraiment. Pour les parties, ils faisaient un petit effort: ils étaient à l'aréna au moins dix minutes à l'avance.

J'essayais de prendre ça avec un grain de sel. Au moins, je jouais au hockey.

Puis vint le jour où l'on se préparait à partir pour un tournoi à Sherbrooke. La principale préoccupation des joueurs était l'organisation du *party* après la première par-tie, le vendredi soir. «Ça va être le fun, on va sortir. Je connais un endroit où il y a des filles pas mal le fun. La musique est bonne et la bière pas chère.»

Je voyais déjà le scénario. Je me voyais dans les buts, le samedi, avec des joueurs qui auraient le mal de bloc et les jambes molles. Je n'avais pas envie de garder le but pour une équipe qui ne se tiendrait pas debout. Je n'avais pas envie d'avoir l'air fou.

J'ai expliqué ma façon de voir les choses à l'entraîneur. Il était en colère. Pas contre moi, heureusement. Il a expliqué la situation aux joueurs qui se sont retrouvés avec le problème: un d'entre eux allait devoir garder le but, à ma place. Cela ne faisait pas leur affaire.

J'avais trop investi d'efforts dans le hockey pour aller faire le clown, là-bas.

J'ai arrêté de jouer la semaine même où j'ai eu dix-sept ans. Ma saison était terminée. J'avais fermé les livres. J'avais démissionné. La mort dans l'âme.

J'ai dû renoncer à tous mes idéaux.

J'ai revu en un clin d'œil tous les mauvais moments que j'avais vécus, toutes les mesquineries. Je me suis revue les jours où je devais en faire davantage que les autres parce que j'étais une fille. Je me sentais comme dans un cul-de-sac.

J'avais déjà accepté des décisions semblables auparavant, mais je me disais alors qu'il me restait encore du chemin à parcourir. Que je pouvais contourner l'obstacle et y arriver quand même. Mais cette fois-ci, il n'y avait pas de chemin à côté. Il n'y avait pas de détour.

Le midget AA, c'est fort et après, c'est fini. Il aurait fallu que j'accepte de jouer pour le plaisir, mais j'aimais trop la compétition. Quand j'ai vu le *party* que les gars de l'équipe préparaient, j'ai préféré arrêter.

Mais la coupure a été trop brutale. J'ai réagi vivement.

Un changement s'est produit en moi. La révolte m'a fait vieillir, tout d'un coup. De petite fille sage, enjouée et sans problème, je suis devenue une adolescente en crise.

Ma mère, qui avait toujours été ma confidente, ne me reconnaissait plus. Je ne lui racontais plus rien. Je gardais mes secrets pour moi. Du jour au lendemain, je me suis mise à m'acharner contre mon frère Martin, avec qui je m'entendais pourtant à merveille auparavant. Il suffisait qu'il dise noir pour que je dise blanc. L'eau et le feu.

J'ai vécu cette époque très difficilement, mais cela m'a donné l'occasion de faire autre chose.

Depuis toujours, mon temps était partagé entre les études et l'entraînement dans les arénas. Les quelques amies d'école que je m'étais faites avaient bien essayé de me traîner avec elles dans les discothèques, mais peine perdue. Pendant toutes ces années, tout ce que j'avais voulu, c'était me coucher tôt pour être reposée pour l'entraînement ou pour le tournoi du lendemain. Une vraie nonne. Je n'avais pas le temps de faire la fête. Je me retrouvais donc plus souvent qu'autrement toute seule.

Durant toutes ces années où j'avais été entourée de garçons, je n'avais jamais eu d'amoureux. Pas intéressée par la chose, tout bonnement.

De toute manière, il n'était pas question que je jette mon dévolu sur un de mes coéquipiers: rien de pire pour gâcher l'ambiance dans un groupe, pour mettre la pagaille parmi les gars. Je pouvais encore moins me laisser courtiser par un adversaire. Ces beaux principes réduisaient considérablement mon choix de prétendants.

Le premier garçon que j'ai fréquenté autrement qu'en partenaire de hockey s'appelait Steve. Il est entré dans ma vie vers l'âge de seize ans.

Steve et moi étions toujours ensemble. C'était un joueur de hockey, mais puisque je ne jouais plus, cela ne portait pas à conséquence. Nous passions de grandes soirées à regarder les matches des Nordiques à la télévision ou encore au Colisée, pour voir l'action de plus près.

Mes parents ne posaient pas de questions sur mes allées et venues. Ils me laissaient vivre comme je l'entendais.
Du moment que j'avais de bons résultats scolaires, je
jouissais d'une liberté totale.

Mes études collégiales se déroulaient très bien. J'étais
inscrite en sciences humaines au cégep de Sainte-Foy, en
banlieue de Québec. Je voulais travailler dans le domaine
des communications ou encore en enseignement, mais la
destinée s'est chargé d'orienter autrement ma carrière.

Et pourquoi pas avec les filles?

Il y avait presque un an que j'avais laissé mon équipe midget CC et le hockey me manquait. Une passion restera toujours une passion.

Il m'était bien difficile d'éliminer le hockey de ma vie, car j'étais constamment dans les arénas pour encourager mon frère Pascal et son équipe. Plus je les regardais jouer et plus l'envie de m'y remettre me prenait aux tripes.

Un beau jour, quelqu'un m'a annoncé qu'un camp d'entraînement de hockey pour les filles allait se tenir à l'Université Laval, à Sainte-Foy. Je suis allée y faire un tour. Le calibre était beaucoup moins élevé que chez les gars. Je n'avais pas vraiment envie de participer.

Dans l'équipe de Sainte-Foy, il y avait Diane Michaud et Paulette Cormier, qui s'entraînaient également à Sherbrooke. Elles ont bien vu que je n'étais pas emballée par l'expérience et m'ont invitée à essayer l'équipe de l'Estrie.

Pourquoi pas?

À Sherbrooke, les choses étaient différentes. Il y avait de très bonnes joueuses. J'aimais l'entraîneur et l'ambiance était agréable. On me faisait miroiter le championnat provincial, le canadien et qui sait le championnat du monde. De plus, il était question que le hockey féminin devienne une discipline acceptée aux Jeux olympiques d'hiver dans un avenir assez rapproché.

Je trouvais, finalement, un but à poursuivre: les Olympiques.

J'ai besoin d'objectifs à atteindre pour fonctionner à plein régime. Plus j'ai de la pression, plus je *performe*.

L'idée m'emballa immédiatement. Enfin, quelque chose qui valait la peine d'y consacrer des efforts et de faire des sacrifices.

Pour la première fois de ma vie, à dix-huit ans, j'allais jouer avec une équipe de filles.

Le goût de jouer m'était vraiment revenu, mais je n'étais pas en bonne forme physique. Depuis ma «retraite» du midget, je n'avais fait aucune activité sportive.

J'ai mis les bouchées doubles et toute l'année, j'ai joué avec un très grand plaisir avec mes nouvelles copines. J'avais renoué avec «la petite noire» et le moral était au beau fixe. Ma passion du hockey était revenue.

Nous nous entraînions une fois ou deux par mois à Sherbrooke et nous jouions une fois par semaine dans notre ligue à Repentigny, en banlieue de Montréal. Deux heures et demie, aller-retour, ça faisait loin pour m'entraîner mais je n'avais pas le choix.

Nicole m'accompagnait souvent quand j'allais à Repentigny. Elle n'aimait pas me savoir sur la route à des heures aussi tardives. Nous avions la patinoire de vingt heures à minuit et il n'était pas rare qu'une partie se termine à deux heures du matin. Quand on fait partie d'une ligue féminine, on prend les heures de glace qui restent.

Parce que je brûlais la chandelle par les deux bouts, j'ai développé une mononucléose. Les médecins m'ont mise au repos pour un mois. Mais grâce aux bons soins de Nicole et à son régime tonique (fruits, légumes frais, foie de veau), j'ai pu me remettre sur pied au bout de deux semaines. Nous devions jouer une partie contre les médias, et je ne voulais pas manquer ça pour tout l'or du monde.

À force de vivre dans les arénas, pour mes matches ou pour ceux de Pascal, j'ai fini par connaître bien des gens. Presque tous les joueurs, les entraîneurs et les dépisteurs de la province. Il n'y avait pas grand-chose qui m'échappait. Je savais l'âge de tel joueur et les différentes équipes pour lesquelles il avait joué. Je savais qu'un autre était susceptible de se faire repêcher par telle équipe.

Je me mêlais de mes affaires, mais je voyais et j'entendais bien des choses.

Un jour où toute la petite famille était à Drummondville pour encourager Pascal, Donald Marier, le dépisteur des Draveurs de Trois-Rivières, avec qui je discutais souvent, me présenta Gaston Drapeau, l'entraîneur-chef des Draveurs.

Nous ne nous étions jamais vraiment parlé, mais il se souvenait vaguement de moi. Il s'est informé de ce que je faisais. Je lui ai expliqué que je regrettais beaucoup de n'avoir pas été invitée au camp d'entraînement midget AAA mais que je me préparais pour les Championnats canadiens de hockey féminin qui devaient avoir lieu quelques mois plus tard. Je lui ai expliqué aussi combien je trouvais difficile de bien *performer* avec seulement une séance d'entraînement par semaine.

Gaston Drapeau m'a offert d'aller m'entraîner avec les joueurs de son équipe, à Trois-Rivières. Cela me donnerait l'occasion d'avoir plus de glace et de connaître un peu le niveau junior majeur.

Je n'ai fait ni une ni deux et j'ai sauté sur l'occasion.

Au jour dit, je me suis levée à l'aube pour arriver vers huit heures à Trois-Rivières. J'étais très excitée. Mon père m'avait proposé de m'accompagner. C'était gentil de sa part, mais il n'en était pas question!

C'était moi qui avais négocié l'affaire et je ne voulais pas que quelqu'un pense que c'était lui qui avait obtenu une faveur pour moi.

À l'aréna de Trois-Rivières, Gaston me montre ma chambre et me demande si je suis nerveuse. «Moi, nerveuse! Mais non, je suis tellement contente! J'ai hâte de sauter sur la glace.»

L'entraînement commence. Les joueurs lancent doucement... Gentiment...

Au bout de vingt minutes, les lancers étaient toujours aussi «gentils». Je crie; «O.K. les gars! Je suis échauffée. Vous pouvez m'en lancer des vraies, maintenant.»

Ils osèrent des lancers plus puissants et finalement, ils ne se gênèrent plus et lancèrent comme d'habitude.

Je suis allée m'entraîner avec eux à quelques reprises. Ça m'a été très utile. Je me suis beaucoup améliorée et mon jeu a été plus efficace au sein de mon équipe de filles.

Cette année-là, en 1991, notre équipe de Sherbooke a gagné le championnat provincial, à Bromont, et s'est classée deuxième au championnat canadien, à Montréal. Seule l'équipe de l'Ontario nous avait battues. À cette occasion, j'ai reçu le trophée du meilleur gardien du championnat. J'en étais très fière.

L'expérience avec les filles m'avait plu, et l'idée de faire partie de l'équipe qui irait au Championnat mondial en Finlande, en 1992, excitait mon imagination. Je décidai donc de continuer de jouer avec l'équipe de Sherbrooke l'année suivante.

Mais Gaston Drapeau gardait un œil sur moi.

À la fin de cette saison 1991, une nouvelle équipe masculine, les Jaguars, devait être formée pour la Ligue Tier II, à Louiseville, une petite municipalité située pas très loin de Trois-Rivières.

Yves Beaudry, l'entraîneur de cette équipe, qui avait entendu parler de mes séances d'entraînement avec les Draveurs, m'invita à un camp, au mois de mai. Il y sélectionnerait des joueurs potentiels, qui seraient invités au vrai camp d'entraînement au début de la saison, en août. Il avait aussi invité mon frère Pascal.

Les parents nous accompagnèrent à Louiseville pour ce camp qui durait plusieurs jours. Dès la première journée, il était évident que Pascal serait repêché. Il y avait cinq autres gardiens; je devais me battre férocement pour gagner ma place. Il fallait sortir tous mes atouts.

Pour économiser un peu, nous n'avions pris qu'une seule chambre d'hôtel avec deux grands lits. La première nuit, Pascal m'a ronflé dans les oreilles sans arrêt. Quand il démarre, celui-là, rien ne peut l'arrêter.

J'ai eu beau le secouer, donner des tapes sur le matelas, rien n'y fit. Je n'ai pas fermé l'œil de la nuit.

Cela se fit sentir sur la glace. Ma performance laissait à désirer. Si bien que l'entraîneur, Yves Beaudry, est venu dire à mon père: «Qu'est-ce qui se passe avec Manon? Hier, c'était bien mais aujourd'hui, elle semble fatiguée, ses réflexes ne sont plus les mêmes.»

Il lui répondit: «Pascal a ronflé toute la nuit. Manon n'a pas dormi. Ça a l'air d'une excuse, prends-le comme tu veux.»

«De toute manière, demain nous allons la faire garder plus que les autres pour être bien certains qu'elle donne tout ce qu'elle a. Si on la repêche, on veut être sûrs de ne pas se tromper. Arrange-toi pour qu'elle dorme bien», conclut-il.

Donc, réorganisation familiale. Je dors avec Nicole, Pascal avec Pierre et tout le monde se met des bouchons dans les oreilles.

Nous avons tous bien dormi et au petit déjeuner, tout le monde était frais et dispos. La bonne humeur régnait à table, autour de moi, mais j'étais loin dans mes pensées. Je réalisais tout à coup que ce camp d'entraînement était ma dernière chance. C'était ce jour-là ou jamais. Si ça ne fonctionnait pas cette fois-ci, je laisserais tomber et n'en reparlerais plus. Je ne me conterais pas de blagues. Ça passait ou ça cassait!

Il y avait deux bons juges de gardiens de but pour assister Yves Beaudry dans sa sélection. Je crois bien avoir fait une belle performance: arrêts à bout portant dans la mitaine, arrêts papillon, transferts de poids, déplacements de la rondelle, contrôle du jeu autour du but. Je parlais à mes défenseurs, les rappelais à l'ordre, insistais d'un ton très autoritaire. Je leur montrais ce que je pouvais faire.

Les juges ont dit: «Ça va, on la prend. Elle a même une meilleure technique que d'autres gardiens et en plus elle est intelligente. On peut sûrement faire quelque chose avec elle.»

La joie! Vous ne pouvez pas imaginer le bonheur, le plaisir qui a traversé mon corps. Je pouvais continuer à vivre ma passion, à aller plus loin.

Lors du repêchage, en juin, Pascal s'est retrouvé avec les Draveurs et moi avec les Jaguars de Louiseville. C'était la première fois qu'une fille était réclamée lors d'un repêchage. Les entraîneurs présents autour de la table se sont mis à rire et puis finalement ont applaudi l'exploit.

Durant l'été, mon père a réservé des heures de patinoire pour nous permettre à Pascal et à moi de nous entraîner. Nous avons aussi fréquenté un centre de conditionnement physique. Pascal voulait développer sa musculature, mais moi je visais plutôt mon système cardio-vasculaire.

En août, je me suis présentée au camp de Louiseville. Grâce à tout cet entraînement fait pendant l'été, je me sentais très confiante, en pleine possession de mes moyens.

Gaston Drapeau, qui avait envie de m'inviter à celui des Draveurs, quelques jours plus tard, est venu jeter un coup d'œil. Question de se rassurer de nouveau, j'imagine.

Il décida, effectivement, de m'inviter pour m'aider à me développer. La «chance» était avec moi. J'avais l'honneur de participer à un camp junior majeur.

Juste retour du destin?

Je n'en sais rien, mais j'allais en profiter de cette «chance». Je n'allais pas la laisser passer.

Je savais d'avance que je ne serais pas parmi les deux gardiens retenus, à la fin du camp, car il était plus prudent de prendre un joueur plus jeune que moi. J'y allais pour l'expérience et le plaisir.

Le camp des Draveurs se déroulait bien; j'étais aux anges. Mais lors d'une séance d'entraînement, j'ai dû faire un effort supplémentaire pour arrêter un lancer de Yannick Perrault. Il venait d'être repêché par Toronto et il m'impressionnait. Je voulais absolument arrêter son lancer. Je l'ai eu en faisant un grand écart mais... je me suis fait très mal. Un claquage dans la cuisse.

Je n'en ai pas parlé. Il n'était pas question qu'on m'empêche de profiter de ma chance jusqu'au bout, en me retirant pour une blessure.

À mon apparition suivante, lors d'une partie hors-concours contre les Lynx de Saint-Jean, j'ai fait un autre geste brusque qui a provoqué une déchirure à l'ischio-jambier. L'entraîneur m'a retirée à la moitié de la partie. Je n'en pouvais plus.

Et voilà que le commérage a commencé: «Est-ce qu'elle a arrêté de jouer parce qu'elle était réellement blessée ou parce qu'elle n'était plus capable? Était-elle trop nerveuse? Peut-être que l'entraîneur ne lui faisait plus confiance?»

Incroyable! Ce que les gens peuvent penser et dire est parfois si méchant! Normalement, je n'aurais jamais dû jouer avec cette blessure. Je savais que je prenais un gros risque, mais je ne pouvais pas laisser passer l'occasion de jouer une partie hors-concours au niveau junior majeur.

J'ai dû marcher avec des béquilles pendant deux semaines. Ce n'était pas de la frime. J'avais la jambe noire, de haut en bas. Ce n'était pas joli joli, mais je portais tout de même des bermudas pour faire taire les mauvaises langues, pour montrer que j'avais bel et bien une blessure.

Pour Yves Beaudry et Gaston Drapeau, j'avais fait mes preuves. Le premier me repêchait pour son équipe de Louise-ville et le second me choisissait à titre de troisième gardien.

Je me suis donc installée à Trois-Rivières. J'ai loué un petit studio et je me suis inscrite au cégep de Trois-Rivières pour terminer mon diplôme en sciences humaines. Il me restait quelques cours à suivre pour compléter mes études, dont un cours que j'avais échoué à un autre cégep. Le seul échec scolaire de ma vie!

Cet échec, je l'ai très mal pris. J'avais toujours eu de très bonnes notes à l'école. Je m'appliquais tous les soirs à bien étudier et à faire mes travaux scolaires. Je suis très perfectionniste et très compétitive, même pour les notes dans le bulletin.

C'est surtout la raison de cet échec qui était choquante. La discussion de la semaine dans les classes était: *Les femmes ont-elles leur place dans les sports masculins?* Des amis à moi étaient venus m'avertir des propos du professeur. Pour celui-ci, la jeune fille de la région qui se permettait de jouer au hockey avec les gars n'était pas à sa place. Il ne m'avait pas nommée, mais il était évident que c'était de moi qu'il parlait. Comme je devais assister à ce cours le lendemain, j'ai eu le temps de préparer mes répliques.

Je ne me suis pas mise en colère, mais j'ai dit ma façon de penser: à qualités égales, pourquoi une femme ne pourrait-elle pas se mesurer contre des hommes? J'ai gardé mon sang-froid, mais je bouillais intérieurement. La seule chose que ce professeur pouvait contrôler, c'était la note de mon examen final.

Quelle histoire! J'ai donc repris ce cours au cégep de Trois-Rivières. Et je l'ai réussi très facilement.

Comme Pascal avait été repêché par les Draveurs, je ne me sentais pas trop seule, loin de chez moi.

Pascal demeurait dans une pension avec un autre joueur de son équipe, Claude Poirier. Comme j'allais souvent voir mon frère et qu'ils étaient toujours ensemble, j'ai fini par bien le connaître et par l'apprécier plus que comme un copain. Il est devenu mon deuxième amoureux.

Au début, je ne voulais pas que cela se sache. J'avais peur des qu'en-dira-t-on: «Manon qui sort avec un gars des Draveurs.» Comme nous étions toujours ensemble, les gens ont fini par le savoir. Mais, finalement, j'avais eu peur pour rien. Les gens ont été très respectueux et se sont mêlés de leurs affaires. Ils me connaissaient et savaient très bien que je n'étais pas le genre de fille à courir de l'un à l'autre. Je n'étais pas une écervelée et à 19 ans, j'étais assez grande pour savoir ce que je faisais.

J'ai dû prendre deux mois et demi de repos pour récupérer de ma blessure à la cuisse. Je ne pouvais même pas faire de conditionnement physique. Alors, quand j'ai recommencé à m'entraîner, il a fallu que je mette les bouchées doubles, car j'avais pris du retard sur les autres gardiens. Il fallait aussi que je pense à mon équipe de filles à Sherbrooke et au Championnat du monde, en Finlande, qui arrivait à grands pas.

Deux semaines après mon retour au jeu, un des gardiens des Draveurs fut blessé. Comme j'étais toujours leur réserviste, ils m'appelèrent pour compléter leurs rangs.

J'ai réchauffé le banc une partie, une deuxième et à la troisième, ils m'ont lancée dans la mêlée. C'était le 26 novembre 1991. Après avoir mené 5-1, l'autre gardien s'était fait compter quatre buts. Il fallait absolument changer l'allure du match. J'avais cette responsabilité.

Au milieu de la deuxième période, à froid, sans trop de concentration car j'avais eu les caméras sur le dos toute la journée, je saute sur la glace. Quand les gens dans les gradins ont vu que j'allais vers le filet, il y a eu une ovation. Ce n'était rien pour me calmer les nerfs! Je savais que le public serait exigeant. Le jugement sur ma performance serait final. Il n'y aurait pas de deuxième chance.

Au milieu de la troisième période, je reçois un lancer au visage qui brise la grille de mon masque. Mon arcade sourcilière est coupée mais je ne m'en rends pas compte tout de suite. C'est au moment où ma vision devient trouble que je réalise que je saigne. Le jeu s'arrête enfin, et je me dirige vers le banc des joueurs pour m'essuyer le visage. Ça saignait trop, j'avais besoin de points de suture. L'entraîneur m'a sortie de la glace.

Des méchantes langues ont encore dit: «On sait bien, c'est une fille. Qu'elle aille donc jouer à la mère.»

Mon expérience dans le junior majeur venait de commencer et de se terminer, car je n'ai plus eu l'occasion de remplacer les deux autres gardiens, par la suite. J'avais eu l'insigne honneur de devenir la première femme à garder les buts dans la Ligue junior majeur.

Les journalistes se sont jetés là-dessus. C'est à ce moment que la folie avec les médias a commencé. Ils ne m'ont pas lâchée depuis.

Gaston Drapeau a bien essayé de m'aider, mais il s'est vite senti débordé. Il ne s'attendait pas à autant d'appels, d'entrevues, de rencontres.

Il s'est tourné vers son ami Pierre Lacroix, un gérant d'athlètes, qui lui a conseillé de demander les services de professionnels. Il a donc appelé la firme de relations publiques National qui nous a aidés à gérer tout ce remous médiatique.

Je suis retournée au sein de mon équipe, à Louiseville. L'équipe n'allait pas très bien. Nous étions en dernière position. L'entraîneur s'est fait mettre à la porte, et son successeur ne me faisait pas jouer beaucoup. J'étais le troisième gardien. Je me sentais sous-utilisée, plus très motivée.

Du côté des filles, le camp d'entraînement pour la formation de l'équipe nationale qui allait représenter le Canada en Finlande approchait.

J'ai donc pensé qu'il valait mieux que je retourne dans mon équipe de Sherbrooke, après les Fêtes, afin de me réajuster au jeu des filles et à leur vitesse de lancers.

Cette année-là, en 1992, nous avons gagné le Championnat québécois et la médaille de bronze au Championnat canadien.

Le camp pour la formation de l'équipe nationale s'est tenu à Kitchener. Il s'est déroulé comme un charme et sept Québécoises ont été choisies au sein de l'équipe, dont cinq du club de Sherbrooke: Marie-Claude Roy, France Saint-Louis, Nathalie Picard, Danielle Goyette, Nancy Drolet, Diane Michaud et moi. Nous étions très fières.

Le 12 avril, grand départ de Toronto avec toute l'équipe. Direction: Finlande.

Quelle joie!

J'étais vraiment excitée à l'idée d'aller affronter les meilleures filles du monde. De plus, c'était ma première visite en Europe. J'étais emballée.

Nous avons passé la première semaine dans le petit village de Veremake, à quelques centaines de kilomètres de Tempere, où aurait lieu le Championnat du monde. Cette semaine de réclusion était nécessaire pour l'esprit d'équipe.

Nous ne nous connaissions pas. Nous venions d'un peu partout au Canada et nous n'avions jamais joué ensemble. Il fallait absolument se connaître et devenir une vraie équipe dans les plus brefs délais.

Nos entraîneurs, Rick Polutnik, Shanon Miller et Pierre Charette, s'en sont chargés. Nous devions changer de partenaires de chambre tous les jours. Quand on partage une chambre avec une personne, on apprend très rapidement à la connaître. C'était amusant.

Nous nous entraînions deux fois par jour sur la glace et en dehors. Les entraîneurs organisaient toutes sortes de jeux pour nous aider à fraterniser. Ils nous donnaient des cours de relaxation pour nous aider à nous détendre et à nous concentrer.

Le résultat a été formidable. Les filles étaient de bonne humeur, l'équipe était soudée, tout le monde s'entendait bien. Il n'y avait pas de clan, pas de jalousie. On était gonflées à bloc et dans notre tête, il n'y avait rien de moins que la médaille d'or à la fin du tournoi.

Après cette semaine d'entraînement, nous nous sommes rendues à Tempere. Je devais y retrouver ma mère. Elle tenait absolument à assister à ce Championnat mondial.

Maman était en Finlande depuis une semaine, mais nous n'avions pas pu nous voir. Nous étions vraiment des recluses dans notre campagne finlandaise.

Pendant ce temps, elle se promenait à travers le pays et se payait du bon temps avec ma tante, Mireille. Elle aussi tenait à me voir jouer dans ce tournoi.

Quand notre autobus est finalement arrivé à l'hôtel, à Tempere, nous nous sommes jetées dans les bras l'une de l'autre. Nous étions tellement heureuses de nous revoir. La semaine d'entraînement avait été fatigante et j'avais besoin de me faire dorloter.

Les quatre autres filles de Sherbrooke ont eu le même réflexe que moi. Elles ont embrassé ma mère comme si c'était la leur. Ça nous faisait du bien de toucher à du québécois, d'entendre parler québécois. Toute la semaine s'était passée en anglais et c'était agréable de ne pas avoir à chercher ses mots.

Nous nous sommes intallées à l'hôtel. Après quelques heures de repos, vite à l'entraînement.

L'aréna où nous nous entraînions était une vraie forteresse. L'accès était interdit aux spectateurs. Même aux parents de joueuses venant de l'étranger. Nicole et Mireille eurent beau mettre tout en œuvre, les militaires postés aux portes ne se laissèrent pas amadouer. Inflexibles. Les ordres, ce sont les ordres.

Il leur a fallu attendre notre retour à l'hôtel, après l'entraînement, pour nous revoir. Et dans le hall seulement! Les parents n'avaient pas le droit de monter à nos chambres.

Pour avoir un peu d'intimité, Nicole et Mireille m'invitèrent à manger, tout près de leur hôtel. Elles avaient repéré une pizzeria du tonnerre et savaient que j'apprécierais.

Nous avons parlé pendant des heures de leur voyage et du camp d'entraînement que je venais de vivre. Qu'il était bon de se retrouver!

L'ambiance était fébrile; l'esprit d'équipe était très fort. Nous ne pouvions pas beaucoup sympathiser avec les filles des autres pays. Nous nous entraînions à des heures différentes et les contacts étaient des plus restreints.

Les journalistes européens connaissaient déjà mon histoire et me posaient des questions sur l'offre que *Playboy* m'avait faite quelques semaines plus tôt de poser nue dans leur magazine. J'ai même rencontré une participante de la Suisse qui me cherchait pour voir la tête que j'avais. Je n'en suis pas revenue.

La compétition s'est très bien déroulée. Je partageais mon but avec Marie-Claude Roy. Nous devions faire la rotation. Chacune notre tour. Nous avons tout gagné. À partir de la demi-finale, l'entraîneur a décidé que je garderais le but jusqu'à la fin.

En fait, le calibre n'était pas très fort. Les équipes ne semblaient pas avoir beaucoup d'expérience. Les Japonaises, les premières que nous avons rencontrées, ont du chien. Elles veulent énormément gagner, mais techniquement elles ne sont pas assez fortes. Le jeu a commencé à devenir plus intéressant en demi-finale seulement.

Nous avons rencontré la Finlande. Le jeu était beaucoup plus nerveux mais nous avons gagné tout de même assez facilement, 6-2.

L'autre demi-finale fut remportée tout aussi facilement par les Américaines.

Pour la troisième position, la Suède rencontrait la Finlande, et le Canada s'occupait des États-Unis pour la première. Le vrai jeu commençait.

Quand elles sont arrivées à l'aréna, les Américaines étaient très confiantes. Elles avaient remporté toutes leurs parties, comme nous, mais avaient compté plus de buts.

Dans les estrades, il y avait une ambiance du tonnerre. Il n'y avait pas une place libre. Les Finlandaises venaient de battre les Suédoises devant leur public et les gens étaient très joyeux. Pour ajouter à cet esprit de fête, des jeunes filles de Toronto, venues expressément pour nous soutenir, scandaient des mots d'encouragement. Elles s'étaient maquillé le visage en rouge et blanc avec des feuilles d'érable et les lettres CANADA. Elles faisaient voler des unifoliés dans tous les coins de l'aréna.

Ces jeunes filles avaient même réussi à maquiller monsieur Didduck, le père d'une des filles de l'équipe. Ce grand homme aux cheveux blancs et au verbe fort mettait beaucoup d'ambiance dans les gradins.

La foule semblait désirer que le Canada l'emporte.

Finalement, les Américaines n'étaient pas aussi fortes que nous le croyions. Bien que ce soit l'équipe qui nous ait donné le plus de fils à retordre, cela a été facile. Je me sentais tout à fait décontractée. Après un moment, je ne pensais qu'à obtenir un blanchissage. Ça s'est soldé, effectivement, 8-0. Du vrai gâteau!

Nous étions débordantes de bonheur. Les gens dans les gradins applaudissaient à tout rompre. Ils nous avaient adoptées.

Comme la coutume le veut, nous avons serré les mains de nos adversaires. Les Américaines ne semblaient pas très fières d'elles. Je crois bien qu'elles avaient vendu la peau de l'ours trop rapidement.

L'hymne national a retenti. J'étais très émue, la gorge serrée, les yeux pleins d'eau.

Après les émotions fortes, la fête a commencé. Nous avons fêté notre victoire toute la nuit.

Le lendemain, nous avons pris l'avion les yeux cernés et les traits tirés, mais nous avions toutes le sourire aux lèvres.

J'ai eu besoin de deux semaines pour me remettre de ce voyage.

Mon expérience européenne m'a beaucoup plu. J'ai découvert une autre culture, une autre façon de vivre. La cuisine finlandaise est excellente mais il est surprenant de voir du poisson au menu, le matin. On est loin de nos œufs, bacon et rôties. Leurs pâtisseries et leur crème glacée sont un délice. Pour une gourmande comme moi, ce serait un supplice de vivre là-bas, car il faudrait toujours que je me contrôle. J'ai tellement peur de prendre du poids.

Les villes de Finlande sont belles et propres. Les gens sont fiers et entretiennent bien leurs maisons. Je n'ai rien vu de délabré.

Un autre point qui m'a frappée, c'est le respect mutuel entre piétons et automobilistes. Les piétons traversent la rue aux intersections seulement. Ce n'est pas comme chez nous, où l'on se jette dans le trafic n'importe où et n'importe quand.

J'ai fini la saison 1992 avec les filles de Sherbrooke et je ne m'attendais pas à ce qu'il y ait une suite du côté du hockey masculin.

Le destin suivait son cours.

Moi, je laissais aller.

Le camp de Tampa Bay

Pendant l'été 1992, je travaillais, à Montréal, pour le Réseau des Sports, RDS. J'étais commis, je faisais de petits travaux.

Des rumeurs se sont mises soudainement à circuler sur mon compte. Un matin, des journalistes m'ont appelée dès 6 h 30 pour savoir s'il était vrai que les Sénateurs d'Ottawa m'avaient invitée à leur camp d'entraînement. Le téléphone n'a pas dérougi de la journée.

Je n'avais jamais eu de contact avec qui que ce soit de l'organisation d'Ottawa. Je n'étais au courant de rien.

Mais pendant ce temps-là, à mon insu, Jacques Campeau, le dépisteur d'une toute nouvelle équipe de la Ligue nationale de hockey, le Lightning de Tampa Bay, avait envoyé à Phil Esposito, son directeur, une cassette vidéo montrant mes exploits.

Jacques voulait que Phil me voie et me juge sans qu'il sache que j'étais une fille. Ses commentaires ont été: «Un peu petit comme gardien mais il se déplace bien. Il a de bons réflexes. On pourrait l'inviter au camp.» Quand il a su que j'étais une fille, sa première réaction a été de dire: «Elle a l'air d'un gardien de but. Pourquoi ne pas l'inviter comme les autres gars qu'on invite? On verra bien.»

Un peu plus tard dans l'été, j'étais au Forum pour faire des reportages sur le repêchage de la LNH pour le compte de RDS. Tous les propriétaires d'équipe, les dépisteurs, les gérants étaient là pour la «vente aux enchères» annuelle. Jacques Campeau en a profité pour me présenter à Phil Esposito.

Esposito m'a demandé si j'étais vraiment intéressée à participer à un camp d'entraînement professionnel. Il a dû voir des étincelles dans mes yeux, car il a tout de suite ajouté: «Je vais t'envoyer une invitation par la poste. Si tu es intéressée, tu remplis les formulaires et tu me retournes ça le plus vite possible.»

Quelques semaines plus tard, j'ai effectivement reçu l'invitation et j'ai vite rempli les papiers. Je me lançais à l'eau. Les gens du Lightning aussi, d'ailleurs.

Ils n'ont pas attendu le début du camp d'entraînement pour me faire venir à Tampa Bay. J'ai été invitée à une de leurs toutes premières activités promotionnelles: ils invitaient le public à visiter le nouvel aréna et leur expliquaient les règlements du hockey.

Il faut bien comprendre qu'en Floride, le hockey n'est pas connu. C'est tout nouveau, ce sport de glace. Les gens peuvent parler pendant des heures de basketball, de football ou de baseball, mais le hockey, ce n'est pas dans leurs gènes comme ce l'est à Montréal ou à Québec. Il faut même les avertir de bien suivre la rondelle des yeux en leur faisant comprendre qu'il faut se méfier d'une rondelle qui circule à 100 milles à l'heure.

Les gens du Lightning ont profité de l'occasion pour présenter les joueurs au public. J'ai arrêté quelques lancers. Cela ne s'est pas trop mal passé pour moi, ce qui les a rassurés. Ils ont pu dormir tranquilles sur leurs deux oreilles jusqu'au camp d'entraînement de septembre.

Pendant le reste de l'été, je me suis entraînée pour être au meilleur de ma forme lors du camp. Le 10 septembre 1992, je ne voulais pas passer pour une femmelette.

La date fatidique arriva. Après avoir ramassé mes derniers effets, je suis partie avec mon sac de hockey et des vêtements pour une semaine. Le cœur léger et des paillettes dans les yeux. J'étais tellement heureuse… mais je restais réaliste: je partais pour un camp d'entraînement, rien de plus n'était assuré. C'était une merveilleuse expérience à vivre, tout simplement.

Mes parents étaient bien embêtés, car pendant mon camp à Tampa Bay, mon frère Pascal faisait le sien au New Jersey. Ils ont coupé la poire en deux: ma mère est venue en Floride et mon père a suivi Pascal.

J'aurais bien aimé que nous prenions le même vol, elle et moi, car j'ai peur en avion. Ce n'était pas possible.

L'organisation de Tampa Bay avait changé mon vol à la dernière minute et je devais faire escale à New York.

Pendant cette escale, une grosse tempête s'est levée. Le vent, les éclairs, le tonnerre, tout y était. Un vrai déluge. Le décollage pour Tampa Bay était en retard depuis déjà une heure quand la compagnie d'aviation a décidé de réunir tous les passagers afin de nous transporter à l'aéroport Kennedy pour un décollage moins dangereux. Je ne vous dis pas le chaos!

Trouver tous les gens qui prenaient cet avion et les amener en autobus à l'autre aéroport a pris un temps fou. J'ai passé la journée à New York, stressée comme ce n'est pas permis. Je me disais tout le temps: «Ça ne se peut pas! C'est ma première journée de camp et je vais arriver en retard. Qu'est-ce que Phil Esposito va penser? Qu'est-ce que les gars vont dire?»

Finalement, on décolle de New York. On s'est fait remuer pas mal à la montée, rien pour me calmer les nerfs. Heureusement, par la suite, le vol ne s'est pas trop mal passé.

Nous sommes finalement arrivés à Tampa Bay avec plusieurs heures de retard.

Ma mère était aussi nerveuse que moi. Mon vol initial devait arriver seulement quelques minutes après le sien. Il y avait des heures qu'elle m'attendait.

Elle savait qu'il y avait une grosse tempête et elle avait imaginé un tas de choses macabres. Heureusement, elle était en compagnie de Guylaine Campion, une journaliste de la télévision, et de son caméraman. Ils la rassuraient comme ils pouvaient.

Quand je suis arrivée, tout le monde a été soulagé. Mais j'étais dans tous mes états. Arriver en retard à ma première journée de camp! Pour ajouter à ce stress, mes bagages tardaient à arriver. Nous avons dû faire face à l'évidence quand le carrousel s'est arrêté: pas de sac de hockey, pas de vêtements. Les bagages étaient égarés à New York ou rendus Dieu sait où.

Me voilà à Tampa Bay en bermudas, en chandail, en sandales et pour toute valise: un sac à main. Nous nous sommes à peine adressé la parole, ma mère, Guylaine, le caméraman et moi que déjà une voiture de l'organisation du Lightning me conduisait à l'hôtel où l'équipe se réunissait pour la première fois.

Tout le monde était déjà installé dans la salle mais heureusement, la réunion n'était pas commencée.

Je me suis dirigée tout naturellement vers la dernière rangée pour ne pas trop me faire remarquer. Je me suis assise à côté de Marc Tardif et de Jean Blouin, que je connaissais.

Il n'y avait que des hommes dans la salle. Normal, vous me direz! Je m'y attendais, bien sûr, mais ça m'a tout de même impressionnée.

Juste avant de commencer la réunion, Terry Crisp, l'entraîneur, lance dans ma direction: «Vous, là-bas, la dernière rangée! Vous êtes trop loin. Approchez-vous en avant, il y a de la place.»

L'horreur! Moi qui suis timide! Il a fallu me lever, marcher dans l'allée, passer devant tout le monde, sentir les regards des gars. J'aurais voulu être invisible. Je souhaitais que la rougeur de mon visage ne soit pas visible.

La réunion a finalement débuté, mais j'avoue que j'en ai perdu des bouts. Pendant que Terry Crisp parlait et expliquait le déroulement du camp, ma tête n'arrêtait pas de fonctionner. Je me demandais ce que je faisais là. J'aurais voulu savoir ce que les gars pensaient.

Je ne regrettais pas d'être venue. Tout ce que je voulais, c'était sauter sur la glace; mais ça faisait un drôle d'effet d'être la seule fille dans cette salle. Ce n'étaient pas des enfants qui étaient assis à côté de moi, c'étaient des hommes. Il y en avait que je reconnaissais pour être allée les voir jouer dans l'uniforme des Nordiques, au Colisée. Tony McKegney, Basil McRae, Daniel Vincelette, des gars d'une trentaine d'années. J'étais dans la même salle qu'eux, dans le même camp d'entraînement. Un camp professionnel. J'étais un peu abasourdie, c'est le moins que je puisse dire.

J'ai tout de même réussi à comprendre que pendant tout le camp d'entraînement, nous ferions des parties. Que des parties et pas de séances d'entraînement. Un genre de tournoi entre quatre équipes. Nous étions huit gardiens, donc deux par équipe. Je faisais partie de l'équipe des Bleus et mon collègue de but était Wendell Young, un ancien des Pingouins de Pittsburgh et digne porteur d'une bague de la Coupe Stanley. Il avait un sourire un peu moqueur, mais ses yeux bleus m'inspiraient confiance. Nous nous sommes tout de suite bien entendus.

La réunion s'est terminée et chacun s'est dirigé vers sa chambre, la tête pleine d'espoir d'être repêché par le Lightning.

Un message m'attendait à la réception: «Pas de bagages ce soir mais pour demain matin, c'est garanti.»

Je me suis dit: «Pourquoi est-ce que ça m'arrive à moi? Je suis la seule fille, j'arrive en retard à cause de l'avion et je n'ai pas mes bagages. Tout pour me faire remarquer.»

Ma mère avait obtenu la permission de la direction du Lightning de partager ma chambre d'hôtel. L'organisation savait que la pression des médias serait forte pour moi et que les journalistes voulaient interviewer ma mère. Ça me rassurait beaucoup qu'elle soit là, auprès de moi. Je n'avais que vingt ans, après tout.

Je lui avais tout de même expliqué, avant notre départ, qu'il ne fallait pas qu'elle soit **toujours** là. Il fallait que je me mêle le plus possible au reste du groupe.

Le premier matin, toujours pas de bagages. Je portais toujours mes bermudas et mes souliers. Cela n'aurait pas été si grave, en situation ordinaire, mais là, je devais passer des tests physiques de toutes sortes. Il aurait fallu que je sois en short et en espadrilles.

Heureusement, ma voisine de chambre était la fille d'un des dirigeants de l'organisation de Tampa, Becky Cashman. Pour me dépanner, elle m'a prêté un short en jeans et un t-shirt noir avec l'inscription *Real men wear black*. Elle n'avait malheureusement pas d'espadrilles. J'ai dû me contenter de ce qu'elle m'offrait. C'était mieux que rien.

Quand je suis ressortie de ma chambre, accoutrée de cette manière, les journalistes ont bien rigolé: la fille de l'équipe qui porte pareil chandail! J'étais gênée. Je ne savais plus où me mettre. Ils ont pris des photos, bien évidemment. Je me sentais tellement mal!

Je pensais uniquement à ce que les gars allaient penser: «C'est qui celle-là? Qu'est-ce qu'elle vient faire ici? Déjà que c'est une fille, qu'il faut qu'elle passe inaperçue et elle s'en va passer ses tests en jeans courts et en souliers!»

C'était plus fort que moi, il fallait que j'explique à chaque personne que je croisais ce qui était arrivé avec mes bagages. Je sentais le besoin de me justifier. Ça m'aidait à me sentir mieux.

Les journalistes québécois m'encourageaient. Ils me disaient que ce n'était pas si grave que ça, que ça irait bien quand même, que j'aurais mon équipement bientôt, de ne pas m'en faire. Ils voyaient bien que je trouvais le temps long, accoutrée comme ça.

J'ai donc dû commencer mes tests habillée ainsi.

Premier test: l'urine dans le petit pot. Pas capable. J'avais pas envie. Pas moyen. Je ne voulais surtout pas boire de l'eau parce qu'après ce test, on montait sur la balance. Je ne voulais pas prendre une ou deux livres. Alors, je faisais couler de l'eau froide sur mes poignets. Paraît que ça aide. Je ne sais pas combien de temps ça m'a pris, mais ça a été long et je n'ai atteint que le quart du pot. C'était suffisant, mais j'étais complètement découragée. Quand ça va mal, ça va mal.

Il y avait toutes sortes de tests. On s'est fait peser, mesurer. Ils ont scruté nos dents, nos yeux, nos muscles, nos os, notre cœur. Ils nous ont passés à la loupe de A à Z pour savoir si on pouvait passer à travers le camp et en ressortir vivants.

Ces tests ont pris une bonne partie de la journée et mes bagages n'étaient toujours pas arrivés.

Les tests physiques hors-glace ont commencé et, comme je me suis organisée pour passer la dernière, mes bagages sont finalement arrivés juste à temps pour que je fasse les tests à l'aise, dans des vêtements appropriés. Il fallait effectuer des redressements assis, des pompes, des sauts, des tests d'endurance. Beaucoup de journalistes étaient restés pour me voir. Je sentais que tout le monde m'encourageait. Ça m'a bien aidée.

Dans tous les tests, j'ai obtenu des résultats dans la moyenne. Même que pour celui des redressements assis, j'étais parmi les meilleurs. Dans aucun des tests, je n'ai été la plus faible. Ça m'a encouragée. Je savais que je n'avais pas l'air fou. Je suis sortie de la salle de tests pleine de confiance. Finalement, le camp n'était pas si mal engagé que ça.

Quand j'ai pu enfin sortir de l'aréna, il y avait belle lurette que tous les autres de l'équipe étaient partis. Il n'y avait plus que Nicole, la fidèle, qui m'avait attendue. Nous avons donc soupé en tête-à-tête.

Le lendemain, on cassait la glace, dans le sens propre du terme.

Le camp n'était qu'une suite de parties pendant lesquelles les quatre équipes devaient s'affronter à tour de rôle. Les gardiens auraient le même temps de glace, le même nombre de périodes à garder. La même chance pour tous. C'était à moi de jouer, de montrer ce que je pouvais faire.

Lors de la première partie, Wendell Young gardait la première période pour me laisser la place en deuxième. Heureusement! Ça m'a permis de voir le jeu, les passes, la vitesse d'exécution. Je n'avais vraiment plus affaire à des enfants. On me l'avait dit, là je le voyais. Je me rendais compte de l'énorme différence.

Pendant toute la première période, je me mettais à la place de Wendell et de l'autre gardien. Je me voyais à leur place et je m'imaginais arrêtant les rondelles de telle et telle manière. Je bougeais avec eux et mon cœur battait à tout rompre.

Après la première période, l'équipe est retournée au vestiaire. Je menais une lutte sans merci contre la nervosité qui me montait à la gorge. J'avais de la difficulté à respirer, mon estomac se tordait dans tous les sens, la peau de mon visage était cuisante. Tout mon corps était fébrile. J'essayais de me concentrer. De visualiser des échappées, des lancers frappés, de beaux arrêts.

J'étais tout entière dans mes pensées, quand un type, un vendeur de matériel, se planta devant moi pour me faire essayer un masque. Il m'a tirée de ma concentration sans aucune gêne. Il n'avait sans doute pas conscience de ce que représentait, pour moi, cette période que j'allais jouer. J'étais comme dans des vapeurs, incapable de m'offusquer.

Un des vétérans, je ne sais pas lequel car j'étais trop loin dans mes pensées pour reconnaître sa voix, lui a lancé: «Tu vois pas qu'elle se prépare à garder le but pour la prochaine période. Tu reviendras après la partie, elle n'a pas besoin de se faire déconcentrer pour un masque.»

Ça m'a fait tellement de bien d'entendre ces paroles. Je me suis rendu compte qu'un joueur venait de prendre ma défense, qu'il était de mon côté. *Wow!*

Enfin, nous avons sauté sur la patinoire pour la deuxième période. Ma période. J'avais des fourmis dans les jambes. Ce qui était le plus important pour moi, c'était le premier lancer. Il fallait que je le bloque à tout prix pour me donner confiance. Et c'est ce qui est arrivé. Le premier lancer stoppé, toute la tension s'est évaporée.

Il faut dire que les premiers lancers n'étaient pas très puissants. Les joueurs lançaient avec un sourire en coin, l'air de dire: «On va lui montrer, à la petite, ce que c'est du vrai hockey.» Mais ils se sont rendu compte que je les arrêtais, les rondelles. Ils ne souriaient plus et lançaient pour vrai.

Je voyais clairement tout ce qui se passait sur la glace, tous les jeux qui se préparaient, toutes les passes, toutes les feintes. J'étais là avec tout mon corps. Avec toute ma tête. Tout était parfaitement clair. J'étais invincible. La muraille était sans faille.

Effectivement! Je n'ai accordé aucun but, sur 15 lancers. J'ai commencé à réaliser qu'il était possible que j'obtienne un blanchissage quand il ne restait que dix secondes de jeu et que je me suis dit: «T'as fait ton travail, Manon. Même si tu te fais compter un but, tu peux dire mission accomplie.»

Après la partie, l'entraîneur nous a fait patiner. Des gars sont venus me féliciter. Je les sentais surpris, mais fiers en même temps. L'un d'eux m'a même dit: «Il y a des gars qui pensaient que tu laisserais passer six ou sept buts. Tu leur as "fermé la trappe". Ils vont te prendre au sérieux maintenant.»

Je suis retournée dans ma chambre l'esprit tellement léger. Je me suis assise sur le banc. Je ne sentais pas de fatigue. Le miroir devant moi m'a renvoyé une image que je n'oublierai jamais: mon visage était serein, mes yeux brillaient comme jamais auparavant et je me souriais malgré moi. J'avais l'impression de voir des lueurs blanches et vert émeraude tout autour de moi. Mon aura, j'imagine.

J'étais fière de moi comme jamais auparavant. C'était un camp professionnel et je n'avais accordé aucun but. Je n'en revenais pas. Par la porte entrouverte, Phil Esposito m'a envoyé un beau sourire, l'air de dire: «Bravo! Tu leur as prouvé que tu étais capable.» Les autres entraîneurs sont venus me féliciter par la suite.

J'étais fière d'avoir réussi cette première période parce que les gens jugent vite, dès les premiers moments. La première période est très significative, mais je ne voulais pas m'emballer trop vite. Ce n'était qu'une période et il y avait encore tout un camp d'entraînement à faire. Je voulais rester réaliste, mais j'étais contente d'avoir réussi mon entrée.

Après la conférence de presse, je suis allée retrouver ma mère à l'hôtel. Elle avait tout vu des estrades. Elle était aussi heureuse que moi. Elle ne s'attendait pas à ce que je réussisse un blanchissage, à ce que la période se déroule aussi bien. Elle n'a jamais eu peur que je me blesse. Elle avait plutôt peur que ça aille mal... à cause des commentaires. Dans les estrades, on entend tous les commentaires et elle est la première à les subir. Quand ça va mal sur la glace, ça lui fait mal dans les estrades.

Mais ce jour-là, elle était aussi fière que moi. J'avais montré aux sceptiques que je pouvais garder les buts.

Durant tout le camp d'entraînement, il a fallu que je fasse des entrevues, des photos, des émissions de télévision et de radio. Que je retourne des tas d'appels. Pendant ce temps, les autres joueurs allaient jouer au golf, s'amusaient, se relaxaient. Je ne pouvais jamais me détendre, je courais toujours à droite et à gauche. Je m'y attendais quand j'étais arrivée à Tampa Bay. Je n'avais pas le choix, je devais penser continuellement au hockey. Pas un moment de repos.

Dès l'entraînement fini, c'était la course. Heureusement que ma mère était là!

Après la douche, c'était la coiffure, le maquillage, l'habillage. Toujours dans un laps de temps très très court. C'était parfois tellement drôle de nous voir. Pour m'aider, maman me coiffait pendant que je retournais mes appels. Je n'avais pas une minute à perdre. Comme le fil du téléphone n'était pas assez long, je laissais l'appareil par terre entre les deux lits et pour ne pas bouger la tête, je composais le numéro avec mes orteils. Deux vrais folles.

Pendant que je me maquillais, elle repassait mes vêtements sur le lit. Elle lavait mon linge le soir pour qu'il sèche pendant la nuit et si, le matin, il était encore humide, elle le séchait avec le séchoir à cheveux. Si elle n'avait pas été là, je ne crois pas que j'y serais arrivée toute seule. Quand je me couchais le soir, elle n'avait pas besoin de me chanter une berceuse pour que je tombe endormie.

Je peux dire qu'elle n'a rien vu de Tampa Bay, ni de Lake Land, l'endroit où se déroulait le camp. Elle ne connaît que l'hôtel et l'aréna. Nous n'avons eu, elle et moi, aucun répit sauf quelques soirs où nous avons pu magasiner. C'est notre péché mignon à toutes les deux. C'était notre seule façon de nous relaxer.

Elle était aussi énervée que moi. Elle partageait tout avec moi, la pression y compris. Et il y en a eu de la pression pendant ce camp. Je devais *performer* non seulement sur la glace mais aussi auprès des médias.

C'était tellement fou, cette pression médiatique, que Barry Hanrahan, le relationniste du Lightning, a fait bloquer les appels. C'était devenu infernal. Dorénavant, plus personne ne pouvait me téléphoner directement à ma chambre d'hôtel.

Au point de vue hockey, le camp s'est bien déroulé pour moi. Je n'ai pas fait de mauvaise partie. J'accordais bien sûr un but ou deux par partie, mais j'ai été stable, je n'ai pas eu de mauvais match. J'ai terminé la première semaine avec la troisième meilleure moyenne des huit gardiens. Avec le peu d'expérience que j'avais, je pouvais être contente.

Après la première semaine, il y a eu une première élimination de joueurs; ma tête n'est pas tombée. Je continuais le camp avec cinq autres collègues.

C'est aussi au bout de cette première semaine que ma mère a dû me laisser seule. Elle devait retourner à Québec pour son travail. Elle m'était indispensable mais elle l'était aussi pour son patron.

Lors de la deuxième semaine du camp, nous n'avons plus fait de parties, mais plutôt des séances d'entraînement. Matin et soir. Je restais le plus longtemps possible sur la glace: j'arrivais avant les autres et je restais après eux. Je voulais vraiment apprendre. La chance qu'on m'offrait ne se reproduirait sûrement plus. Je me devais de savourer chaque instant, d'en profiter au maximum, de ne rien perdre.

Je me suis tellement entraînée qu'un muscle dans ma cuisse s'est rebellé. Un bon matin, il ne voulait plus jouer au hockey. Il en avait assez. J'ai dû rater la séance pour me faire soigner. Ça ne m'enchantait pas. Je sais bien que je ne suis pas faite en fer, mais les blessures ont toujours été mes pires ennemies. Je ne veux pas me blesser. Je n'en ai pas le droit, sinon gare aux commentaires: «On sait bien, c'est une fille.»

Je n'ai perdu qu'une seule séance. Les traitements me faisaient du bien et l'orgueil s'occupait du reste.

Puis vint le moment des parties hors-concours avec d'autres équipes de la Ligue nationale. C'était à la toute fin du camp.

La nervosité était de plus en plus présente au sein de l'équipe, car on sentait les retranchements de joueurs de plus en plus proches. La guillotine était au-dessus de nos têtes.

Un soir, Phil Esposito s'approche de moi avec un grand sourire et me glisse, comme si de rien n'était: «Si tu te sens bien après l'entraînement demain, tu vas garder le but le soir. Tu vas être de la partie. Pour une période.» Ce n'est pas tombé dans les oreilles d'une sourde. J'ai tout de suite dit à Barry Hanrahan de refuser pour moi toute entrevue. Je ne voulais rien, rien, rien faire. Tout ce que je voulais, c'était me reposer, me relaxer et me concentrer sur la partie. *Ne pas déranger!*

Dans l'autobus qui nous transportait à l'aréna, le soir de cette partie contre les Blues de Saint-Louis, il n'y avait pas un bruit. La tension était tangible. Tout le monde se demandait s'il aurait un poste. J'étais nerveuse aussi. J'avais fait un bon camp jusqu'ici et je savais que les dirigeants du Lightning étaient contents de moi. Mais à quoi s'attendaient-ils de moi? Que voulaient-ils faire de moi? Iraient-ils jusqu'au bout du défi en jouant le jeu?

Eh bien! oui. Ils ont joué le jeu. C'était moi qui devais garder le filet.

Je me revois entrant dans cet aréna, le 23 septembre 1992. Je ressens encore la tension qui me tenaillait le ventre dans le corridor menant à ma chambre. Je me rappelle tout ce qui m'est passé par la tête, assise dans ma chambre, seule, face à mon équipement. Face à cette armure.

Elle est là, accrochée au mur comme une marionnette géante. Vide. Inanimée. Attendant qu'on lui donne du mouvement, une histoire à vivre.

Cette armure est là, sur le clou, prête à être enfilée: la cuirasse de protection, les jambières, les bonnes vieilles culottes que je porte depuis le temps du pee-wee, le chandail blanc zébré d'un éclair portant le numéro 33. Au-dessus, le masque noir avec sa grosse grille semble vouloir mordre. Les patins, les gants et le bâton attendent par terre.

Vite l'action.

Respire, Manon. Respire. Chasse cette peur qui te prend au ventre. La peur? Non, Manon n'a pas peur. Un peu de nervosité, c'est tout.

Respire, Manon. Respire.

Les Blues de Saint-Louis n'ont qu'à bien se tenir. Manon va toutes les arrêter, leurs rondelles.

Visualise... C'est ça... Je le vois bien venir ce grand joueur. Non, tu auras beau déjouer tous mes défenseurs, faire toutes les feintes que tu veux, tu ne m'auras pas, mon vieux. Amène-la ta rondelle, amène-la: bloquée. Dans le gant. Et toi là-bas, le petit paquet de nerfs, essaie pour voir. Allez, lance. Mais lance donc: bloquée. Sur la jambière. Manon n'est pas grande mais elle est rapide.

Respire, Manon. Respire. Tu as toujours voulu jouer avec les grands, eh bien! là, ça y est! C'est le grand jour. Faut pas que tu rates ta chance. Profites-en. Jouis-en.

Ça va bien aller. C'est comme n'importe quelle autre partie. Les rondelles vont arriver et tu vas les arrêter. Voilà tout!

Allez hop! debout. Ce n'est pas le temps de s'engourdir sur cette chaise. Habille-toi, ma vieille. Enfile cette armure.

Fin prête pour le moment crucial du camp d'entraînement du Lightning de Tampa Bay: le match contre les Blues de Saint-Louis.

Les joueurs sortent un à un de la chambre. L'équipe se dirige vers la glace pour la période d'échauffement.

Je sens la nervosité dans mon ventre, mon cœur bat un peu plus vite que d'habitude. Le stress n'est pas là. Pas encore. Je sais que je retournerai dans la chambre des joueurs après l'échauffement, qu'il y aura encore un moment de répit avant le grand jeu. Avant ma première période.

L'échauffement se passe bien. Mes coéquipiers me donnent confiance. Ils visent d'abord les jambières. Ils ne me ménagent pas mais ils ne cherchent pas la faille. Ils ne tentent pas de faire entrer la rondelle dans le petit trou. Ils ne me font pas de lancers mous. Ils tirent normalement.

Ils m'encouragent: «Fais ce que tu fais depuis le début du camp d'entraînement. Ça va bien aller. Lâche pas.»

C'est un très bon échauffement. Tout est «sous contrôle».

La foule aussi s'échauffe. À chaque arrêt, les gens m'applaudissent. Ils crient. Il y a de plus en plus de monde dans les estrades.

Les flashes des caméras commencent déjà à mitrailler et la partie n'est même pas commencée.

Ça va bien aller, Manon. Reste concentrée.
Respire.
Oh! Mon Dieu! L'échauffement est déjà terminé. On retourne à la chambre des joueurs pour quelques minutes. Là, c'est plus de la blague. Ça va être vrai.
Respire, Manon. Respire.

Dans la chambre, pas un mot. Les Lightnings sont sous haute tension. Tout le monde se concentre; tout le monde doit bien jouer; tout le monde pense à sa sélection dans l'équipe. Tout le monde joue son avenir. Tout le monde joue sa vie, en somme.

Le stress me gagne tout à fait. J'ai extrêmement chaud. Je sens mes joues en feu. Mon cœur bat tellement fort que tout le monde doit l'entendre. Mais non, chacun est occupé avec son propre cœur. Chacun s'engloutit dans ses propres pensées.

Terry Crisp, l'entraîneur, donne ses dernières instructions.

Je mets mon masque.
Respire, Manon. Respire.
Dans le corridor menant à la glace, pas un bruit. Plus on avance et plus le murmure de la foule vibre dans nos oreilles. Ils sont combien dans les estrades?

Ah! maman! Je sais que tu n'es pas là, parmi tous ces gens. Mais je sais que tu penses à moi, à la maison, devant ton téléviseur. Envoie-moi des ondes positives.

La présentation des joueurs. L'hymne national... Je suis là, devant mon filet, mais comme dans un rêve. Je vois très bien le drapeau mais... Qui chante? Un homme, une femme? Je n'en sais rien. Je n'entends rien.

Respire tranquillement, Manon.

L'hymne est fini puisque les joueurs prennent leur position. La foule crie, mais je n'entends qu'un vague bruit de fond.

Elle est excellente, ta concentration, ma vieille Manon. Ça va très bien aller.

C'est parti. La rondelle circule à une vitesse folle, il me semble. Les passes, les déplacements, tout va tellement vite. Coup de sifflet.

Ah non! C'est pas vrai! Il n'y a pas trente secondes que le jeu est commencé et nous avons déjà une pénalité contre nous. Désavantage numérique en partant. Merde!

Allez! C'est reparti. Concentre-toi deux fois plus, Manon. C'est tout.

Regarde-moi celui-là qui s'en vient. Attention! Il va lancer!

Bien fait, ma vieille. Bel arrêt. Et la foule apprécie à part ça. Dis donc... ça crie fort.

Concentre-toi sur le jeu, Manon. Tu as bloqué le premier lancer, c'était le plus difficile. Les autres, ça va être comme du bonbon.

Tiens, tiens, l'attaque s'en vient de ce côté-là maintenant. Attention!

Encore bloquée. Et la foule qui rugit!

Une autre attaque qui s'en vient. Ils ne me laisseront pas un moment de répit. Attention!

Tiens, prends ça dans ta barbe, mon vieux! Que c'est bon d'avoir la foule avec soi.

Le désavantage numérique vient de se terminer. Jamais deux minutes ne m'ont paru aussi longues. Bon, attention! Jeff Brown a l'air parti pour de bon. Ah non! Merde! C'est rentré! Il a lancé d'en haut des cercles et c'est rentré! La rondelle a touché une première jambière, puis l'autre, et elle est passée entre les deux jambes. Tac,

tac. Il n'y avait presque pas d'espace et elle est entrée quand même. Merde! C'est insultant. J'aurais pu l'arrêter, ce lancer-là.

Respire, Manon. Respire tranquillement.

Dans ma tête, ce n'est pas 1-0, c'est 0-0. O.K., Jeff Brown! Allez, ma vieille. On se remet dedans. Pas deux de suite.

Attention! Ce deux contre un qui s'en vient ne me dit rien qui vaille. Dangereux... Dangereux...

Bloqué, le deux contre un. Et la foule encore... Je n'entends pas ce qu'ils disent, mais ça me fait du bien.

Ça va bien. Ça va très bien. Amenez-en des rondelles.

Oups! Alors là, je n'ai rien vu. Ça m'apprendra à appeler des rondelles. Je n'ai pas eu le temps de réagir. C'est venu de l'arrière du but directement sur le bâton de Brendan Shanahan. Tac, tac et au fond du filet. C'est choquant, mais c'était un beau but.

On se remet dedans! La partie n'est pas finie.

Le grand coup de sifflet... Fin de la première période: 2-2. J'ai fini MA période...

Eh bien! ça ne s'est pas trop mal passé! Deux buts sur neuf lancers: un bon et un mauvais que j'aurais pu arrêter. Ce n'est pas la performance du siècle; ce n'est pas un blanchissage avec 50 lancers en première période, mais avec le peu d'expérience que j'ai et toute la pression médiatique qu'il y a autour de moi, ce n'est pas mal. Pas mal du tout, ma vieille. Manon est très, très contente.

Et la foule aussi, semble-t-il!

Direction: la chambre. Vite, que l'on se retrouve entre nous, les Lightnings. «Félicitations, Manon, t'as bien fait ça»; «*Wow, good girl*»; «C'est beau, la p'tite. La glace est cassée maintenant»; «*Good job*».

O.K. les gars. Merci, mais mettez-en pas trop.

Terry Crisp: pas un mot. Phil Esposito: pas un mot. Mais des sourires qui en disent long. Un mélange de bonheur et de soulagement.

Mon travail est fini pour aujourd'hui à moins que Wendell Young ne se blesse. La tension s'en va, je respire mieux, je me sens tellement bien. Aucune fatigue, je suis trop contente pour la sentir.

C'est déjà le temps de retourner sur la glace pour l'échauffement de la deuxième période. Je les accompagne sur la glace. Je flotte. Je ne touche pas le sol. Je patine au-dessus de la surface givrée. Je rêve ou quoi?

«Eh! Manon! Ça ne sera peut-être pas au goût de mon *coach*, mais il faut absolument que je te dise félicitations. Je te vois la face, le regard et tu as bien raison d'être fière de toi. Lâche pas.»

Eh bien! ça fait plaisir à entendre et de la part d'un adversaire, ça fait encore plus chaud au cœur. Stéphane Quintal, tu ne peux pas savoir le plaisir que tu me fais en ce moment.

Finalement, la partie se termine 6-4 contre nous.

Vite. Vite. La douche, avant l'inévitable conférence de presse. Il ne devrait pas y avoir beaucoup de monde. En tout cas, pas parmi les médias du Québec. On les a avertis trop tard que je gardais les buts, ils ne seront sûrement pas là. Tant pis.

Les médias québécois n'étaient pas là, mais en revanche la salle était bondée: cinq caméras, énormément de photographes, des journalistes de partout. Et c'est là, à cause de leurs questions, que j'ai réalisé vraiment que je venais de jouer une partie dans la Ligue nationale de hockey. Jusque-là, je prenais ça plutôt comme une partie ordinaire du camp d'entraînement.

Il y a eu toutes sortes de questions, dont une plutôt macho: «T'es-tu déjà cassé un ongle en jouant au hockey?» Mon sang n'a fait qu'un tour et j'ai demandé au journaliste: «Est-ce que tu poserais cette question-là aux autres gardiens de but?»

Je voulais lui faire comprendre que je voulais être considérée comme n'importe quel autre joueur, pas

comme la première femme qui joue dans une équipe professionnelle. J'ai une chance comme un autre joueur. Je la
prends.

Ce n'était pas important pour moi d'être la première
femme à faire ça. Ce n'était tellement pas mon but que la
publicité qu'il y avait autour de moi m'étonnait. Je ne
réalisais pas l'ampleur de toute cette histoire.

J'avais une chance d'aller plus haut, je la prenais.
C'était mon but.

C'était mon rêve.

Je n'étais pas de calibre pour rester à Tampa Bay, mais
Esposito et Crisp, reconnaissant mes efforts et mes
capacités, ont décidé de m'envoyer au camp d'entraînement des Knights d'Atlanta, leur club-école.

Je les avais surpris, ils ne s'attendaient pas à autant de
ma part compte tenu du peu d'expérience que j'avais
avant d'arriver. C'est sûr que je devais bien *performer* pendant le camp d'Atlanta, mais je savais qu'ils étaient intéressés à me garder comme troisième gardien de but des
Knights. En me gardant dans leur club-école, ils pourraient me faire pratiquer tous les jours et voir jusqu'où je
m'améliorerais. Ils me donneraient la chance de rattraper
le temps perdu.

Ils veulent voir la différence, l'an prochain. Ils vont la
voir!

Atlanta, *here I come*

Quand je suis allée à Tampa Bay, je n'avais de vêtements que pour une semaine. Je pensais me faire retrancher dès la première élimination. Pas parce que j'étais défaitiste, mais parce que je savais que je n'avais pas d'expérience. Je ne voulais pas élaborer trop de projets. Mon aventure aurait très bien pu se terminer là.

La vie a voulu que mon rêve d'aller toujours plus haut puisse continuer.

Avant d'aller au camp d'Atlanta, je devais donc revenir chez moi, à Chicoutimi, pour régler différentes choses et refaire mes valises.

Cette fin de semaine en a été une de grandes décisions. Je savais que si le camp se déroulait bien, les Knights me garderaient comme troisième gardien de but. J'avais une chance inespérée. Enfin!

Il fallait que j'envisage une nouvelle vie.

Mais qu'est-ce que je fais avec toutes les propositions de carrière en communications qui arrivent de partout? Il y en a de très intéressantes, qui allécheraient n'importe qui.

Et aussi, qu'est-ce que je fais avec ma vie privée? Mon amoureux, où sera sa place? Restera-t-il à Chicoutimi ou viendra-t-il avec moi à Atlanta? Sera-t-il repêché par une autre équipe qui l'enverra Dieu sait où? Je me rends compte qu'une vie de hockeyeur professionnel demande beaucoup de sacrifices. Je me rends compte que je suis confrontée aux mêmes problèmes que mes collègues masculins et que l'organisation de la vie privée n'est pas évidente.

Pendant toute cette fin de semaine, j'ai été en contact étroit avec mes agents de la firme National. Nous épluchions tous les contrats qui m'étaient offerts dans le domaine des communications. Nous pesions le pour et le contre. Je voulais être certaine de ma décision, ne rien regretter. J'aurais pu commencer une carrière très intéressante dans un domaine qui m'attire depuis longtemps. Ma raison m'incitait à accepter ces offres mais au fond de moi, je savais que le hockey l'emporterait. La passion était trop forte.

Pendant cette fin de semaine, il y eut une conférence de presse à Montréal. Paul Wilson, mon agent, m'avait avertie qu'il y aurait beaucoup de journalistes. Quand il a ouvert les portes de la salle, j'ai eu un moment d'émotion très intense.

La salle était effectivement bondée. Il faut dire que les lieux étaient exigus. Il y avait des caméramen, des photographes, des journalistes partout: Michel Bergeron, Danielle Rainville, Michèle Champagne, Guylaine Campion, les collègues de RDS. Tout ce monde était là pour moi. Tout le monde souriait et avait l'air heureux de me voir. L'accueil était chaleureux. Je revenais chez nous.

Ça m'a fait un plaisir incroyable. J'étais très émue. Le souffle me manquait. J'avais envie de sauter au cou de tout le monde, comme on fait dans une fête de famille.

Plusieurs des journalistes présents avaient été sceptiques face à mon aventure à Tampa Bay. Ils ne voyaient que le truc publicitaire de Phil Esposito. Maintenant, ils avaient changé d'idée et ne se gênaient pas pour le dire. Ils avaient vu mes performances et respectaient maintenant ma démarche.

Leur scepticisme ne m'avait pas dérangée mais maintenant, cela me faisait chaud au cœur de voir qu'ils me faisaient confiance.

La question à l'ordre du jour était, bien évidemment, ce que je comptais faire après le camp d'Atlanta. J'étais sûre que j'allais y rester, que j'allais profiter de l'occasion, mais il fallait vraiment que je pèse le pour et le contre. Il fallait que je prenne la bonne décision. Alors, je ne confirmais rien. Mais au fond de moi, je savais...

La passion l'emporterait.

Quand je suis arrivée à Atlanta, à une heure du matin, j'étais brûlée. Le camp de Tampa Bay avait été dur. Deux semaines intensives sur la patinoire, deux semaines de pression médiatique où je n'avais pas eu le temps de sentir la fatigue.

Les deux jours de congé passés à Chicoutimi et Montréal n'avaient pas été très reposants non plus, mais j'avais eu quand même le temps de décompresser un peu. Avec comme résultat que la fatigue était remontée à la surface.

La première journée du camp, j'aurais pu rester couchée pour me reposer. J'avais un bon alibi: l'heure tardive de mon arrivée. Je n'étais pas obligée d'aller à la séance. Mais non! J'étais fatiguée, je ne me sentais pas bien du tout, mais je ne voulais pas en manquer une.

J'étais incapable de faire quoi que ce soit sur la glace. J'étais vraiment épuisée. Cinq minutes avant la fin de la séance, il a fallu que je sorte. J'étais verte, le visage défait. J'aurais épouvanté Frankenstein. J'étais à terre. Mon orgueil est fort mais j'avais atteint ma limite.

Les entraîneurs m'ont dit de me reposer dans l'après-midi et de ne pas m'habiller pour la partie en soirée. J'allais m'asseoir dans les estrades et me relaxer. Ils savaient que je venais de passer deux semaines très éprouvantes. Qu'il n'y avait pas un joueur qui avait eu un camp aussi dur que moi. Que je n'avais eu aucun répit, aucun moment de détente. Pendant ces deux semaines, j'avais été une marionnette que tout le monde tirait. Les entrevues, les photos, tout le monde voulait un petit peu de moi. À un moment donné, ça suffit. J'ai besoin d'air, comme tout le monde.

À part ce moment de faiblesse, j'ai participé à tous les exercices. Ce ne fut pas un mauvais camp, mais je n'en ai pas ressenti autant de satisfaction qu'à celui de Tampa Bay. Pas de mauvaise performance, mais pas d'extraordinaire non plus. Stable, très stable. Je donnais le meilleur de moi-même. Je donnais ce que je pouvais compte tenu des circonstances. En fait, je décompressais.

Je pouvais prendre ça un peu plus calmement que lors du camp de Tampa Bay, car les dirigeants m'avaient déjà dit qu'ils étaient intéressés à me garder comme troisième gardien. À la fin de la semaine, ils me l'annonçaient officiellement: «On te garde. On sait vraiment qu'on peut faire quelque chose avec toi.»

OUF!

Tout de suite, on m'a imposé un programme d'entraînement physique. Je ne peux pas dire que je bouffe de la fonte, mais je soulève pas mal de kilos et je me tape plusieurs centaines de redressements assis par semaine. Je ne tiens pas à devenir Miss Muscles, loin de là. Je travaille pour améliorer mon système cardio-vasculaire et ma résistance musculaire. Je ne veux pas de gros muscles, juste ce qu'il faut pour pouvoir soutenir un entraînement de gardien de but. Je tiens à garder une silhouette féminine. Je ne veux pas prendre de poids, contrairement aux garçons qui désirent être plus pesants.

On m'a donc fait rencontrer le nutritionniste de l'équipe, le docteur Dan Benardot. Il surveille aussi l'alimentation de l'équipe américaine de gymnastique. Il m'a fait passer des tests pour connaître la densité de mon corps, la résistance de mes os et de mes articulations, le pourcentage de graisse. D'après lui, je suis faite pour jouer au hockey. La largeur du bassin est bonne, les os solides et je ne risque pas de fractures de stress. C'est bon à savoir! Par contre, il m'a mise au régime: plus de gras, plus de sucre. Moi qui aime les desserts. Misère!

«Manon, c'était notre belle
petite fée. Une enfant facile
et adorable.»
Nicole Rhéaume

Je me souviens des peines et des souffrances endurées sans pleurer pour que l'on ne me prenne pas pour une petite fille fragile.

«Toute petite on reconnaissait déjà ses principaux traits de caractère: ricaneuse, curieuse, fonceuse, intelligente.»

Pierre Rhéaume

Ma mère aurait préféré que je fasse du patinage artistique, de la gymnastique ou du ballet. Mais non, la passion du hockey était déjà trop forte.

Papa… je vais le faire, moi, ton gardien de but!

Me voilà avec ma petite équipe. Mon père croyait bien que jouer au hockey ne serait qu'une passade pour moi.

Quelle fierté que de poser aux côtés de Peter Stastny.

Quand je ne pouvais faire le gardien, j'étais défenseur.

«Cette petite a créé sa chance. Elle se fixait un but et l'atteignait.»

Pierre Rhéaume

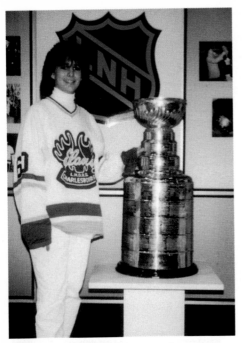

Mon rêve n'était pas de jouer dans la Ligue nationale de hockey, c'était impensable à l'époque. Mon rêve, c'était de jouer au hockey.

Ma guerre, c'était que les gens me laissent faire, me laissent évoluer au même titre que tous les autres joueurs.

Participer au Tournoi international pee-wee de Québec: le rêve de tout jeune hockeyeur. J'étais la première fille à y participer.

«Manon, c'est une *performer*. Quand c'était le temps du hockey, toute sa tête y était. Quand c'était le temps des études, toute sa tête y était aussi. Pas de demi-mesure avec elle. À cause de sa très grande concentration, elle réussissait tout ce qu'elle entreprenait.»

Nicole Rhéaume

Rapidement, les commanditaires ont été intéressés à s'associer avec moi.

Et pourquoi pas un petit look vamp!

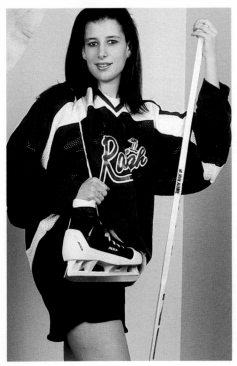

Le 26 novembre 1991, par un heureux concours de circonstances, j'ai
joué lors d'une partie avec les Draveurs de Trois-Rivières. J'étais par le
fait même, la première femme à jouer
dans le junior majeur.

J'aime bien ma nouvelle vie «jet set». Me voici avec Eric Lindros.

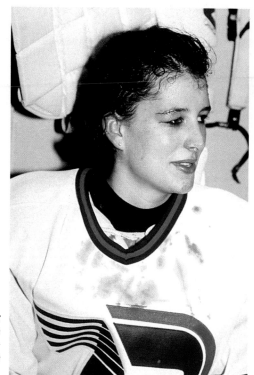

Lors de cette fameuse partie dans le junior majeur, un lancer puissant brise la grille de mon masque. J'en ai l'arcade sourcilière coupée. Le sang coule et l'on me retire au milieu de la troisième période.

J'ai été invitée au camp d'entraînement du Lightning de Tampa Bay. Ma performance a incité Phil Esposito, le propriétaire de l'équipe, à me garder. Je me perfectionne à son club école: les Knights d'Atlanta.

Gene Ubriaco, l'entraîneur de l'équipe, m'a préparé un programme de développement. Écrit en français, juste pour moi.

Il y parle de mes points forts, de mes points faibles et il décrit les moyens à prendre pour les corriger. Il semble sincère quand il dit que j'ai des possibilités et qu'il veut m'aider à aller jusqu'au bout de celles-ci. D'après son programme, la saison 1992-1993 en serait une d'apprentissage technique, de préparation physique et mentale. Si j'y mettais les efforts nécessaires, je devais pouvoir revenir en 1993-1994-1995 et espérer devenir un membre régulier des Knights d'Atlanta et avoir de plus en plus de temps pour jouer des parties lors des saisons régulières.

Si tout se passe bien et que je suis capable de le faire, il prévoit que je pourrais jouer au niveau de la Ligue nationale, en 1995-1996.

Il n'en tient qu'à moi mais je reste réaliste. Le calibre de la Ligue nationale de hockey est beaucoup trop fort pour moi actuellement. Mon objectif, c'est d'aller le plus loin possible. Où cela me mènera-t-il? Aucune idée!

Le début de la saison a tout de suite suivi le camp. Je m'entraînais tous les jours. Mon niveau d'énergie est revenu à la normale et je recommençais à ressentir ce que j'avais vécu à Tampa Bay. L'excitation.

Il a fallu un certain temps avant que je ne signe mon contrat. C'était un peu compliqué. Steve Bartlett, mon agent pour tout ce qui a trait au hockey, devait réunir Phil Esposito et Richard Adler, le président des Knights. Il y avait des détails à régler. Ça ne m'empêchait pas de m'entraîner et comme je ne devais pas jouer de matches, cela n'avait pas d'importance.

Arriva le jour où David Littman, le premier gardien, a été rappelé à Tampa Bay à cause de la blessure de Wendell Young. Je me retrouvais, par le fait même, deuxième gardien. J'allais alors devoir m'habiller, comme les autres, pour jouer contre Cincinnati. Il devenait donc urgent que je le signe, ce contrat. Ce fut chose faite, le 4 novembre 1992 à 15 h.

J'étais très fière.

Je n'ai pas joué contre Cincinnati, mais j'étais prête à sauter sur la glace, s'il le fallait.

Dans toute équipe qui se respecte, vient toujours le moment de l'initiation. Vous vous demandez peut-être qui initie qui dans une équipe qui en est à sa première année d'existence. Les vétérans, ceux qui avaient déjà joué dans une ligue professionnelle, ne se sont pas posé ce genre de question existentielle. Ils seraient les bourreaux. Pas de discussion. Heureusement, ce n'est plus la mode de raser la tête des recrues. Je ne me serais pas vue avec une coupe à la Sinead O'Connor. Ça s'est passé d'une manière très civilisée. On a ri comme des fous.

L'initiation a commencé lors d'un voyage à Salt Lake City, au cours de la semaine de l'Action de grâce.

Nous nous trouvions dans la salle à manger de l'hôtel, après une partie. Les vétérans avaient fait monter les tables de façon que les joueurs recrues soient assis dos au centre de la pièce. On ne voyait donc pas trop ce qui se tramait comme farces et attrapes.

Tout au long du repas, les recrues devaient exécuter un numéro, une imitation de l'entraîneur ou d'un chanteur. Quand mon nom a été pigé dans le grand verre, j'ai dû exécuter la danse des canards. J'étais gênée, rouge comme une tomate. Mais dans une soirée comme ça, tout le monde rit de tout le monde. Je me suis donc fait aller les ailes et je leur ai seriné ça. C'était de toute beauté.

Mes voisins de table étaient Daniel Vincelette et Jason Lafrenière. Ils me prévenaient un peu du déroulement de la soirée et des tours dont les recrues allaient être victimes.

Un des tours préférés, c'est la purée de «patates» sur les souliers. En cachette, un vétéran se promène sous les tables et met de la purée sur les souliers. Ha! Ha! Je m'étais juré que je ne me ferais pas avoir. Eh bien non! Un cliquetis de fourchettes sur les verres se fit entendre. Je n'avais rien vu, je ne savais pas qui s'était fait avoir. Je regarde mes souliers et... Oui! J'étais la première à me faire prendre. Très, très drôle...

Les recrues se tenaient sur leurs gardes, mais les vétérans s'organisaient pour détourner l'attention. On se faisait toujours prendre. Très malins, les gars. Parfois un peu vicieux même.

Un des vétérans demande à Christian Campeau d'aller poser de la purée sur le soulier d'un de ses compères. En récompense, on l'avait assuré que son nom serait retiré du verre et qu'il n'aurait donc pas l'obligation de chanter. Tout content, il se glisse sous la table, rampe, et au moment où il allait commettre son méfait, Daniel Vincelette le dénonce en criant très fort: «Aïe! Christian Campeau est en dessous de la table. T'as pas d'affaire à être là. Tu t'es fait pogner, mon vieux!»

Il est sorti vite de là! Il était rouge! Évidemment, il a dû la chanter quand même, sa petite chanson.

L'initiation s'est poursuivie quelques jours plus tard à Atlanta.

Cette fois-là, ça se passait dans un restaurant. À cause d'une activité de promotion que j'avais dû faire à Montréal, je suis arrivée en retard. Cela m'a valu une amende de 50 $. Les esprits étaient passablement échauffés quand je suis arrivée.

On m'a rapidement mise au diapason. Je ne bois jamais d'habitude. Je n'aime ni l'alcool ni le vin. Mais ce soir-là, il a fallu que j'y passe. Quelqu'un m'a d'abord offert un verre de vin. Ensuite, ce furent des *shooters*. Pas des petits. Des gros qui remplissent des verres à vin.

Je ne connaissais rien aux verres qu'on m'offrait mais, comme tout le monde, je les buvais. Les B-52 n'étaient pas trop mauvais mais il y en avait avec de la tequila et du tabasco. Pouah! Quelle horreur!

Après quelques verres, on a joué au billard. Je jouais très mal. Je devais m'y reprendre à trois ou quatre fois pour toucher la boule. On a bien rigolé.

Vers deux heures du matin, le party d'équipe s'effilochait. Nous n'étions plus que quelques irréductibles Québécois assis autour d'une table. Nous nous sommes donc déplacés à l'appartement que Daniel Vincelette et Jean Blouin partageaient.

La soirée s'est continée comme ça, à boire et à rire jusque tard dans la nuit. N'ayant pas l'habitude de boire, à un moment donné, je me suis sentie étourdie. Pour me rafraîchir un peu, je suis allée dans la salle de bain pour me passer de l'eau dans le visage. J'ai dû vouloir m'asseoir pour quelques instants, le temps de retrouver un certain équilibre, mais je me suis carrément endormie sur place. Au bout d'un certain temps, les gars, qui commençaient à s'inquiéter de mon absence, se mirent à m'appeler et à frapper à la porte. Pas de réponse. Jean Blouin s'est enfin risqué à ouvrir et m'a trouvée... assise en équilibre instable, prête à me cogner le front sur la baignoire. Ils m'ont installée sur le divan et le party s'est terminé là.

Je n'ai pas été malade mais j'avais toute une gueule de bois le lendemain matin! Tout tournait autour de moi, j'avais les jambes molles et ma tête voulait éclater. Je ne boirai pas de sitôt, je vous le garantis.

Une séance d'entraînement était prévue, comme d'habitude, à 10 h 30. Il fallait donc «faire comme si de rien était» et aller au boulot. C'était la première fois que je n'avais pas envie d'y aller. Maudite boisson!

Sans savoir que nous avions eu notre soirée d'initiation la veille, Gene Ubriaco nous organisa la séance la plus dure que nous ayons jamais eue. Il nous faisait faire des longueurs de patinoire à n'en plus finir. Ça a été long, mais long!

Curieusement, je me sentais mieux après l'entraînement. Le «mauvais» était sorti. La sueur avait drainé l'alcool en dehors de mes veines. C'est dans des situations comme celles-là qu'on constate les bienfaits de l'activité physique.

Ma petite vie rangée a repris son cours: dodo, entraînement, activités de promotion, bonne bouffe et jus de fruits.

Et puis, un beau jour, le 13 décembre, on m'a donné l'occasion de vraiment casser la glace.

Nous jouions chez nous, contre les Golden Eagles de Salt Lake City. Gene Ubriaco m'avait avertie que je jouerais les cinq premières minutes de la deuxième période. Il faisait ça dans le but de me donner la chance d'avoir un peu de glace. Pour que je sache ce qu'était une partie.

Après la première période, c'était 0-0. J'avais plus de pression que d'habitude: ce n'était pas ma partie et je n'avais pas eu d'échauffement.

J'étais froide. Très froide. Mais je me suis dit: «Il faut que je m'habitue. C'est une situation que j'aurai éventuellement à vivre comme deuxième gardien. On ne sait jamais quand l'autre va se blesser, il faut être prête à embarquer à tout moment. Quand l'entraîneur te dit d'y aller, il faut que tu y ailles. Tu ne poses pas de question. Allez, embarque Manon, ça va te donner une bonne expérience, de toute façon.»

Je suis donc allée sur la glace avec ces idées en tête. J'ai essayé de faire de mon mieux, mais je me suis fait compter un but.

J'étais sortie de mon but d'une douzaine de pieds pour faire un dégagement. J'ai soulevé la rondelle mais malheureusement Todd Gillingham, qui arrivait rapidement, l'a reçue sur l'épaule. Il m'a contournée et a lancé dans le filet désert. J'étais déçue, j'aurais voulu mieux faire. Un but sur quatre lancers... Enfin!

Un peu plus tard dans l'année, le 10 avril 1993, on m'a donné l'occasion de jouer une partie complète contre les Cyclones de Cincinnati. Le classement de notre équipe pour la saison régulière était déjà établi. Les Knights étaient en tête du classement; Gene Ubriaco, l'entraîneur de l'équipe, ne risquait donc rien à me faire jouer. Si jamais je perdais, cela n'aurait pas de conséquence dramatique.

Encore une fois, cela provoqua un remous médiatique. Il y avait longtemps que les journalistes me réclamaient. Ils voulaient voir ce que je valais après quelques mois d'entraînement. Ils voulaient vérifier si j'avais vraiment ma place chez les professionnels de la Ligue internationale.

Il y avait, ce soir-là, des journalistes de Montréal, de Québec et d'un peu partout au Canada et aux États-Unis. Le stade Omni était rempli à pleine capacité: 15 000 personnes. Il y avait une ambiance du tonnerre dans les gradins et je me sentais très appuyée par les supporteurs des Knights. Même mes parents étaient là pour m'encourager.

Je me suis débattue comme un beau diable et mes coéquipiers m'ont beaucoup appuyée, mais j'ai fait des erreurs et j'ai été malchanceuse à quelques reprises. J'ai accordé 6 buts sur 33 lancers, deux buts ont été comptés dans un filet désert et nous avons perdu 8-6.

Après la partie, Gene Ubriaco semblait content de ma performance. Il considérait que j'avais rempli mon mandat.

À mon arrivée à Atlanta, quelques mois plus tôt, il était clairement écrit dans mon contrat que la première année en était une de rattrapage, que je m'entraînerais et que je ne jouerais pas nécessairement de matches.

Je suis là pour apprendre et les séances d'entraînement sont longues. Comme à mon habitude, je me fais un point d'honneur d'être sur la glace avant et après tous les autres. J'ai beaucoup d'expérience à prendre et je n'ai pas peur de l'effort.

Déjà, je me sens plus forte, plus rapide sur la glace. Mes réflexes sont plus aiguisés. Je serais curieuse de savoir comment se serait passé le camp de Tampa Bay si j'avais été dans cette forme-là, à l'époque. À quoi bon spéculer, je le saurai l'an prochain.

D'ici là, je fais ce qu'on me demande. J'accompagne parfois l'équipe quand on joue à l'extérieur. Ça me fait voir du pays: Salt Lake City, Cleveland, Cincinnati, San Diego, Phoenix, etc. C'est très agréable de voyager et ça m'aide à situer des villes sur les cartes, moi qui n'ai jamais été douée pour la géographie.

C'est important, pour moi, de voyager avec les gars, ça m'aide à me sentir dans le groupe. Ça me permet de les encourager. On ne peut pas faire grand-chose pour l'équipe quand on est dans les estrades, mais je leur envoie des ondes positives, c'est mieux que rien. J'en profite aussi pour m'entraîner mentalement.

Quand je les regarde jouer, je me mets à la place du gardien. Je me vois dans le but et j'arrête des rondelles. C'est plus fort que moi. Je bouge, je m'étire pour aller chercher une passe. Je voudrais tellement leur donner un coup de main. J'aimerais tellement être sur la glace.

Seule dans la grande ville

Faire le saut de la petite municipalité du Lac Beauport à une ville comme Trois-Rivières ne cause pas trop de problèmes. Ça ne change pas complètement le mode de vie. Faire le saut de Trois-Rivières à Atlanta, par contre, c'est autre chose. On peut dire que c'est un choc culturel.

Le premier élément du choc culturel et non le moindre est la question de la langue. Comme tous les jeunes Québécois, j'ai appris l'anglais à l'école; mais je ne le parlais jamais. Je vivais dans un milieu francophone à 100 p. 100 et je n'avais presque jamais l'occasion de parler l'anglais sauf en de rares occasions quand un touriste égaré cherchait le château Frontenac.

Actuellement, après moins d'un an de séjour à Atlanta, mon anglais n'est pas parfait mais il s'est beaucoup amélioré. Je comprends tout et je réussis à me faire comprendre. Il faudrait quand même que je prenne des cours pour le raffiner.

Un autre élément du choc culturel, c'est l'étendue de la ville, la densité de sa population.

Les grandes villes m'ont toujours fait un peu peur. Montréal me fait cet effet, d'ailleurs. C'est difficile de dire pourquoi. L'inconnu, peut-être. On pense que les gens sont très différents de nous, on imagine toutes sortes de dangers, on se raconte des histoires de gros méchants loups alors qu'en réalité ça ne doit pas être si effrayant que cela. Suffit de connaître un peu mieux la ville, ses quartiers, ses restaurants, ses magasins, ses gens. Ça viendra, mais il faudrait que je prenne le temps de visiter la ville, de rencontrer vraiment les gens. Prendre le temps! C'est facile à dire!

Ma vie à Atlanta est très différente de celle que j'avais chez moi, au Québec. C'est une vie trépidante, essoufflante. Heureusement que je suis jeune et en santé parce que je ne pourrais pas faire de vieux os.

Il y a quelque temps, une journaliste de Montréal est venue faire un grand reportage sur ma vie à Atlanta. Pendant une semaine, elle m'a suivie partout, sauf sur la glace. Eh bien! je l'ai laissée sur le carreau. Crevée. Elle n'en revenait pas de tout ce que je faisais dans une journée. Les seuls moments où elle pouvait m'interviewer, c'était dans la voiture quand nous circulions sur les autoroutes entre la maison et le centre Omni où nous jouons, entre la patinoire Park Air où nous nous entraînons et le centre de conditionnement physique où je me fais des muscles, ou encore le soir quand nous mangions au restaurant.

Entre les entraînements et les activités promotionnelles, je n'ai pas un moment libre, sauf le soir quand je prends une heure pour appeler ma famille, mes amies, mes copains. Et encore là, heureusement que j'ai un téléphone sans fil car, tout en parlant, je fais mille choses: je fais du lavage, je place la vaisselle sale dans le lave-vaisselle, je range un peu l'appartement pour que la femme de ménage ne soit pas trop découragée à sa prochaine visite, je signe des cartes de hockey sur le bord de la table, j'ouvre mon courrier, je me prépare à manger.

Quand vient enfin le moment de souper, je m'installe devant la télé pour regarder le film que j'ai loué, un des seuls loisirs que je me permette. Je reste là, écrasée dans mon fauteuil, trop fatiguée pour pouvoir faire autre chose. Généralement, vers 21 h, je retrouve le confort de mon lit et je me cache sous les couvertures. Une petite vie tranquille, n'est-ce pas?

Il le faut bien, sinon je ne tiendrais pas le coup. J'ai besoin d'au moins dix heures de sommeil pour récupérer. Par conséquent, je ne sors pas beaucoup avec les gars de l'équipe, après les parties. Ils m'invitent à les accompagner au restaurant ou au cinéma mais comme après 21 h je ne suis plus bonne à rien, je dois décliner leurs offres la plupart du temps.

D'ailleurs, je me retrouve seule plus souvent qu'autrement, car après les entraînements, je file à droite et à gauche pour toutes sortes d'activités de promotion. De la promotion pour l'équipe ou pour mes cartes de hockey, des entrevues avec la radio ou la télévision, des tournages de messages publicitaires, des rencontres avec des présidents de compagnies qui aimeraient bien que j'annonce leurs produits, avec des vendeurs qui m'offrent gracieusement de porter leur équipement ou d'utiliser leurs bâtons.

C'est fou, tout le monde que je peux rencontrer dans une journée mais, tout compte fait, je suis toute seule. Seule dans une foule.

Depuis que je vis à Atlanta, je ne me suis fait qu'une amie, mais une bonne: Hilary.

Je l'ai rencontrée dans un salon de cartes de sport, au tout début de mon séjour à Atlanta. Elle travaillait pour la compagnie Classic avec qui je fais affaire. C'était la première fille avec qui je pouvais parler depuis des semaines, car les femmes ou les amies des joueurs n'étaient pas encore arrivées. Je vivais dans un monde d'hommes. Ce n'était pas nouveau comme phénomène mais parler à une fille, d'histoires de filles, me faisait du bien.

Nous nous sommes tout de suite bien entendues. Nous sommes sorties quelquefois ensemble. Elle me faisait visiter un peu la ville. Le premier soir où elle m'a invitée à souper chez elle, je suis tombée en amour avec l'endroit où elle habitait. Nous sommes donc devenues voisines.

Cela faisait déjà quelque temps que je cherchais à me loger. Le quartier où les gars de l'équipe demeurent n'est pas mal, mais j'ai préféré le coin d'Hilary. Le design de l'immeuble me plaisait plus: c'était plus aéré, avec un grand foyer, de grandes fenêtres. De plus, l'endroit me semblait beaucoup plus sûr: des grilles automatiques à l'entrée du stationnement, un code d'accès pour l'ouverture des portes de l'immeuble. Cet aspect n'est pas à négliger dans une grande ville comme Atlanta. Deux derniers petits détails qui ont fait pencher la balance en faveur de l'immeuble d'Hilary, c'est qu'il y a un service de femme de ménage et des petits déjeuners gratuits, prêts à emporter. C'est très pratique: quand tu es pressée le matin, tu attrapes un muffin et un jus en passant, tu manges dans l'auto. Tu ne perds pas de temps.

Perdre du temps. C'est ma plus grande phobie. Je déteste. Je suis la fille la plus impatiente en ville. Sur l'autoroute, il faut que ça roule. Les gens qui circulent dans la voie de gauche et qui n'avancent pas me mettent hors de moi. Ne parlons pas des embouteillages, alors là, j'explose. Attendre dans un stationnement que la conductrice de l'auto dont je sollicite la place finisse son maquillage avant de partir m'horripile. Faire la queue à l'épicerie avant de passer à la caisse tient du cauchemar. Je n'ai pas de temps à perdre. Je ne peux pas en perdre, il est tellement précieux. J'ai trop de choses à faire.

Si je reste inactive dix minutes, j'ai l'impression que la vie est plate. Je ne peux pas rester tranquillement assise quelque part à ne rien faire. C'est ma mère qui m'a fait remarquer ce phénomène lors d'une visite au Lac Beauport. Il faudrait que je me corrige. Il faudrait que j'apprenne à respirer, à souffler un peu. Ça viendra bien. Pour l'instant, c'est comme ça. Je me reposerai plus tard, dans quelques années, quand je ne pourrai plus jouer au hockey. D'ici là, je mets les bouchées doubles, je fonce.

Une journée type pour moi commence à sept heures. Je déjeune légèrement: un jus de fruit, du pain aux raisins naturel et sans gras, parfois du germe de blé. Je ne profite plus des petits déjeuners de mon immeuble, car ils sont trop riches en gras et en sucre.

Au fait, j'ai changé radicalement mon alimentation depuis que je suis à Atlanta. J'essaie d'éliminer tout le gras de mon assiette. Grâce aux conseils du diététiste des Knights, le docteur Dan Benardot, j'ai pu diminuer considérablement mon pourcentage de graisse et augmenter ma masse musculaire tout en diminuant mon poids. Je ne me suis jamais sentie aussi bien.

Après avoir nourri mon corps de bonnes choses saines, je suis les conseils de mon gourou en chef, Daniel Bouchard, ancien gardien de but et actuellement entraîneur des gardiens des Nordiques de Québec.

Daniel Bouchard est mon idole depuis que je suis toute petite. Je l'ai toujours admiré. Le hasard a fait que je garde les buts dans une ville où il les a lui-même gardés au temps où les Flames jouaient à Atlanta, il y a belle lurette.

Nous étions assis côte à côte dans les estrades, un soir où il était venu assister à un match des Knights au centre Omni. Il me faisait remarquer toutes sortes de détails sur la façon de faire des gardiens. Il me prodiguait de précieux conseils dont celui combien inestimable de nourrir mon esprit. «Tous les matins, m'a-t-il expliqué, tu nourris ton corps pour lui donner de l'énergie, pour qu'il puisse passer à travers la journée. C'est très bien mais as-tu déjà pensé à nourrir ton esprit? Il le faut absolument, sinon tu deviens débalancée. Ton esprit a besoin de réfléchir vite, de prendre des décisions rapides. Il doit être aiguisé, éveillé. Tous les matins, tu devrais lire. Pas beaucoup. Seulement quelques pages. Des livres de pensée positive, des livres qui donnent des leçons de vie faciles à assimiler.»

J'ai, bien sûr, suivi ses conseils et tous les matins, je lis un petit bout de *Osez rêver*, de Florence Littauer. Ce sont des histoires de gens qui réussissent leur vie parce qu'ils veulent la réussir, parce qu'ils ont décidé qu'ils allaient réussir. Ils visualisent ce qu'ils veulent et ils l'obtiennent. Depuis que je fais cet exercice tous les matins, je me sens mieux mentalement. Mon moral a meilleure mine et ma concentration est plus forte.

Daniel Bouchard, quel gentilhomme! Il m'a offert d'aller vivre avec sa famille, au début de la saison. Il travaille avec les Nordiques, mais sa famille demeure toujours à Atlanta, dans une très jolie maison. J'ai trouvé cela très tentant, mais comme j'ai un mode de vie assez particulier, un horaire peu standard et une alimentation des plus strictes, j'ai dû refuser l'invitation. Je ne peux pas imposer ça à une famille.

Donc, après avoir nourri mon esprit de pensées positives, je saute dans la voiture et je file à l'entraînement sur glace.

En général, j'arrive à la patinoire vers 9 h 30. Le temps de fouiner un peu partout, de discuter des petits problèmes avec Gene Ubriaco ou avec son assistant, de vérifier l'agenda des différentes activités de promotion avec Greg Dewalt, le relationniste de l'équipe, et c'est déjà l'heure de m'habiller pour l'entraînement.

Je me fais un principe d'arriver la première sur la glace. J'ai tant de choses à rattraper sur mes coéquipiers que je ne veux pas perdre une minute. Au contraire, si je pouvais, si c'était humainement possible, j'y resterais deux fois plus longtemps qu'eux. En tant que troisième gardien, j'ai moins de glace lors des séances d'entraînement, moins de lancers. Je reste donc plus longtemps, avec les autres recrues. Et là, ils lancent et lancent. Et moi je bloque, je bloque, je bloque....

Au bout de deux heures et demie d'entraînement, c'est la douche. Quel bienfait! J'aimerais bien flâner sous le jet d'eau chaude pour détendre mes muscles endoloris, mais je n'ai pas le temps. J'ai mon horaire en tête et je ne peux pas m'attarder.

J'avale, en marchant, une petite collation pour me couper la faim. Des choses saines, évidemment. Comme dit une amie à moi, pour se moquer: «Des cochonneries biologiques.»

Je reprends la route en direction du centre de conditionnement physique où je retrouve Gary Hall, qui est responsable de la bonne forme de l'équipe. Pendant une heure et demie, je travaille pour améliorer mon système cardio-vasculaire et ma résistance musculaire.

Les employés du centre de conditionnement physique sont très sympathiques. Ils me font travailler fort, mais comme ça se passe dans la bonne humeur et l'humour, ce moment est très vite passé.

L'entraînement fini, j'enfile des vêtements chauds et je pars me doucher, à la maison. C'est plus simple comme ça. Pas besoin de trimballer toutes mes affaires: shampooing, serviettes, vêtements propres, fer à défriser les cheveux.

Eh oui! Je vais vous révéler un secret. Mes cheveux droits et lisses ne sont pas naturels. Ils frisent. De façon désordonnée. Ça frise par endroits et ailleurs ils sont raides. Ils vont dans tous les sens. Alors quand je me coiffe, il faut d'abord que je défrise. C'est long. Très long. Ça m'énerve, moi qui n'ai pas de temps à perdre. Parfois, je prends des raccourcis pour aller plus vite mais je le regrette chaque fois, car il y a toujours des cheveux qui n'en font qu'à leur tête.

Bref, me préparer pour une activité de promotion ou une entrevue est très long. Et comme j'ai presque toujours à en faire après les entraînements, ma salle de bain est continuellement dans un état indescriptible. Pauvre femme de ménage!

Comme Atlanta est une ville très vaste, je suis toujours sur l'autoroute et il n'est pas rare que j'aie deux endroits à visiter au cours du même après-midi.

Ma vie est un vrai marathon! Mais j'aime ça. J'adore mon travail.

Quand je me lève le matin, je le fais avec plaisir. Je n'ai pas à me jeter en bas du lit et à me traîner jusqu'au lavabo. J'ai hâte d'être sur la glace, d'apprendre, de travailler fort. Finalement, ça m'amuse. Les à-côtés moins faciles, je les prends. Ils font partie du boulot. Il y a des mauvais côtés et il y en a des bons. J'ai la chance de vivre une belle expérience. J'en profite. Je veux aller au bout de mes possibilités. Je veux voir jusqu'où l'entraînement va m'amener. Si je ne le fais pas sérieusement, je ne saurai jamais où sont mes limites et ça, je ne me le pardonnerais jamais.

Je suis prête à faire beaucoup de sacrifices pour atteindre mes objectifs et personne ne va m'en empêcher.

Gene Ubriaco croit en moi; il semble sincère. Richard Adler, le président des Knights, aussi. Phil Esposito a osé et il me fait confiance. C'est à moi de prouver à tout le monde que nous ne nous sommes pas trompés.

Je dois confondre les sceptiques. Ils ont le droit de l'être. Je respecte leur opinion. Mais qu'ils respectent la mienne. Qu'ils me laissent essayer.

Les hauts et les bas d'une diva

Avec les gars de l'équipe, ça va très bien. Je me sens acceptée par eux et respectée, autant sur la glace qu'à l'extérieur.

Ils me taquinent beaucoup. Je le prends bien parce qu'à ce moment-là, j'ai un peu l'impression d'être avec mes frères. Ce n'est jamais méchant et on rigole tout le temps. De toute manière, s'ils ne me taquinaient pas, je me sentirais rejetée, car ils n'arrêtent pas de se chamailler entre eux.

Je dois avouer que je fréquente surtout les francophones de l'équipe. Question d'affinité linguistique, sans doute. Maintenant, je n'ai plus de difficulté avec l'anglais, mais au début... Il fallait tellement que je me concentre pour comprendre ce qui se disait autour de moi que ça me donnait mal à la tête. Alors, quand il était question de me détendre et de m'amuser, c'est avec les francophones que je me retrouvais: Daniel Vincelette, Jean Blouin, Christian Campeau, Éric Dubois, Martin Simard, Jean-Claude Bergeron.

Je fais tellement de choses dans une journée qu'en général, je n'ai pas le temps de m'ennuyer, même si je suis loin de ma famille et de mes amis. Je n'ai jamais vraiment vécu toute seule auparavant.

À Atlanta, je suis vraiment très loin de tout mon monde. Il n'est pas question que je m'évade une fin de semaine. Il y a bien sûr le téléphone, mais ce n'est pas pareil.

Je trouve parfois très difficile de rentrer chez moi, seule. J'ai toujours des cartes à signer, des lettres auxquelles il faut répondre, des appels à retourner mais à certains moments, parler à mes toutous en peluche, ce n'est pas suffisant.

J'ai dû rompre avec mon ami Claude.

Il était venu vivre avec moi à Atlanta au début de la saison. Lui aussi espérait jouer dans la Ligue américaine et il attendait des nouvelles de différents clubs.

Pendant que je m'entraînais et que je participais aux activités de promotion, il m'attendait à l'appartement. Aucune équipe ne l'appelait. Il trouvait les journées longues et ennuyeuses. Avec le temps, tout s'est gâché. Il est reparti chez ses parents, à Montréal.

La vie de couple n'est déjà pas facile quand un des deux est hockeyeur professionnel. Alors quand les deux aspirent chacun de leur côté à une place dans les grandes ligues, ça accroche, ça bute et ça culbute.

Le moment le plus pénible que j'ai vécu depuis que je vis à Atlanta, ce fut le 25 décembre.

J'avais réveillonné chez mes parents le 24 et j'avais pris l'avion tôt le lendemain matin pour Atlanta. J'étais fatiguée parce que Paul Wilson, mon agent, avait rempli mon agenda de toutes sortes d'activités de promotion. Je n'avais eu que quelques heures pour me reposer et rencontrer ma famille.

Quand je suis arrivée à mon appartement, tout était éteint. Pas une lumière, pas un son. Personne, évidemment. Vous dire la déprime qui m'a prise...

Je pouvais entendre des bruits de festivités dans les appartements voisins, des rires, des cris de joie, des portes qui claquaient sur des intimités heureuses. Chez moi, rien. Le noir. Le froid. Et rien dans le frigo. Si! Une canette de Coke diète. La misère, quoi!

Dur. Dur.

Je suis allée me coucher tout de suite pour que ça passe plus vite.

Le lendemain, la vie reprenait son cours normal. Entraînement à 10 h 30. Tout le monde devait y être. En forme ou non. Les festivités ne devaient pas déranger le calendrier de l'équipe et encore moins les performances.

Quelques jours plus tard, j'ai vécu une expérience très désagréable. Je pourrais appeler ça «ma nuit d'horreur».

Je venais de passer une soirée semblable à toutes les autres. Pendant que mon bouilli réchauffait, j'avais retourné mes appels; pendant que je regardais un film, j'avais signé des cartes de hockey.

Vers 21 h, alors que je venais à peine d'éteindre la lampe de chevet, mon attention fut attirée par le bruit des portes de l'ascenseur. Normalement, je ne remarque jamais ce bruit, mais ce soir-là... Curieusement, mon sixième sens m'a mise en état d'alerte.

Je savais que mes voisins d'étage n'étaient pas là, car les annuaires téléphoniques traînaient sur le pas de leur porte depuis quelques jours. Sûrement en vacances de Noël quelque part.

Alors, ce bruit de pas lents, précautionneux, me fit asseoir immédiatement dans le lit. Mon cœur battait tellement fort que je croyais qu'il voulait me sortir de la poitrine. Une sueur froide me glaça le dos.

Mon sixième sens ne m'avait pas trompée. Je revois encore ces moments comme si je les avais vécus il y a quelques heures...

Les pas approchent tranquillement de ma porte. Hésitent. La dépassent. Reviennent. Et s'arrêtent. Quelqu'un essaie d'ouvrir ma porte, trafique la serrure. Un tout petit bruit de rien du tout, à peine audible. Je ne rêve pas, j'en suis certaine.

J'entends la poignée qui tourne mais la porte ne s'ouvre pas. Encore le bruit dans la serrure et la porte est secouée.

Je tremble de tout mon corps. Je ne peux pas voir la porte d'entrée de ma chambre à coucher. Il faudrait donc que je me lève mais je ne peux pas. Je suis paralysée de terreur.

J'arrive finalement à desserrer mes mains sur les couvertures et j'attrape le téléphone à côté de mon lit. Je compose un numéro sans réfléchir, la sueur coule le long de mes joues. De l'autre côté du mur, on secoue la porte de plus en plus fort.

«Oui, allô!» C'est la voix de mon père.

Les mots ne veulent pas sortir de ma bouche, ma gorge est trop serrée. Finalement, un «Pierre» voilé sort, comme au ralenti. Presque inaudible. Un vrai cauchemar, mais je sais que je ne rêve pas.

Mon père me reconnaît malgré tout et se met à crier mon nom. Ça me remet les idées en place.

— Papa, il y a quelqu'un qui veut entrer chez moi. Il bardasse la porte. J'ai peur! J'ai peur!

— Est-ce qu'il cogne dans la porte? Veut-il défoncer?

— Non, il ne cogne pas dedans mais il la secoue. Papa, j'ai peur! Ça fait un bruit d'enfer maintenant.

— Raccroche tout de suite et appelle la police. Tout de suite! Tu m'entends! Tout de suite!

C'est bien évident qu'il faut que j'appelle la police. Qu'est-ce que tu veux que ton père fasse à des milliers de kilomètres? Manon, tu perds la tête.

— Allô! Police! Venez vite chez moi. Quelqu'un veut entrer. Il essaie de forcer la serrure de la porte. Vite! J'ai peur.

— Calmez-vous, on envoie une voiture immédiatement.

— Ne raccrochez pas, madame. Me laissez pas toute seule.

— Entendez-vous encore du bruit?

— Non. La poignée ne tourne plus. Il ne cogne plus

dans la porte. Mais il est encore là. J'en suis certaine. Raccrochez pas! Raccrochez pas!

— Mais non, je ne raccrocherai pas. Je vais attendre
avec vous l'arrivée de la police. Calmez-vous. C'est peut-
être un voisin qui se trompe de porte.

— Non. Mes voisins sont partis pour la période des
Fêtes.

— C'est peut-être quelqu'un qui habite un autre
étage. Vous savez, dans le temps des Fêtes, les gens
boivent, pressent sur le mauvais bouton d'ascenseur, sortent au mauvais étage sans s'en rendre compte.

— Je le sais pas! Tout ce que je sais c'est que j'ai peur.
Il a dû m'entendre vous parler et il s'est arrêté. Raccrochez
pas, sinon il va recommencer.

— Calmez-vous. Mes collègues sont arrivés aux
portes de l'édifice. Ils ne peuvent pas entrer. Il faudrait
que vous actionniez le mécanisme d'ouverture des portes.

— Je ne peux pas, il faudrait que je raccroche le téléphone. Je ne veux pas. Je veux parler avec vous.

— Écoutez! Il faut raccrocher, ou bien descendez leur
répondre. Je suis certaine que le type est parti. Il vous a entendu appeler la police, il a sûrement entendu aussi la si-
rène. Je suis convaincue qu'il n'est plus là. Je reste en
contact avec vous, je ne raccroche pas. Ouvrez la porte et
vérifiez dans le corridor avant de sortir.

— Non, j'ai trop peur!

— Ouvrez la porte et vérifiez, il n'y a plus de danger.
Allez!

— O.K. Lâchez-moi pas. Eh! que j'ai peur, je pense
que je vais m'évanouir. Il n'y a personne dans le corridor.

— Bien, sortez et allez vers l'ascenseur.

— O.K. Mais s'il était dans l'ascenseur?

— Non, non. Il ne sera pas là. Allez.

— L'ascenseur s'en vient. Je pense réellement que je vais
m'évanouir. O.K... Il n'y a personne dedans... Je descends,
mais tout à coup qu'il serait en bas près de la porte de sortie.

— Pas de danger, les policiers sont là.

— Ouais, on dit ça! J'arrive au rez-de-chaussée... La porte de l'ascenseur s'ouvre... Aaaaaah!

— Réveillez-vous, mademoiselle. Il n'y a plus de danger. Police. On est arrivés. Mademoiselle, réveillez-vous.

— La police... Je vous avais pris pour mon maniaque. Mais qu'est-ce que vous aviez à me pointer, comme ça, avec vos revolvers? Et puis, à part ça, comment avez-vous réussi à entrer, les portes étaient fermées?

— Quelqu'un d'autre nous a ouvert. Allez on va monter chez vous. Calmez-vous. C'est fini, c'est fini.

Vérifications faites, il n'y avait plus aucun maniaque dans les environs. Les policiers me souhaitèrent une bonne nuit, me recommandèrent de bien verrouiller ma porte (comme si je n'y penserais pas moi-même) et, avec un clin d'œil, de les appeler si jamais j'avais besoin d'un garde du corps.

Comme si c'était le moment de me faire du charme. Comme si j'avais besoin de ça, en ce moment. Les gens sont parfois déconcertants.

Pendant ce temps-là, mes pauvres parents se morfondaient à la maison. Ils attendaient de mes nouvelles avec anxiété. J'ai toujours été peureuse, pour des bagatelles. Mais ce soir-là, ça avait l'air sérieux. Leur plus grande crainte, c'était de recevoir un appel de la police leur annonçant que j'étais coupée en petits morceaux.

Quel soulagement quand ils entendirent ma voix. J'étais entière, mais dans quel état! Ils ont tout fait pour me remonter le moral, mais ça ne changeait pas grand-chose à mon état nerveux. Ils me suggérèrent d'appeler des copains de l'équipe et si possible d'aller dormir ailleurs, de ne pas rester seule.

J'ai donc appelé chez Daniel Vincelette et Jean Blouin. La *Volks* coccinelle de Dan étant en panne, c'est Jean qui est venu me chercher. Arrivé aux grilles en fer forgé, il composa mon numéro de code pour que je lui ouvre. Un homme lui répondit qu'il n'y avait pas de Manon là. «Comment, pas de Manon? Mon écœurant, attends que j'arrive.»

Il était certain que mon maniaque était revenu et qu'il était rentré dans l'appartement. Il a laissé sa voiture en plan, a réussi à se faire ouvrir les portes de l'immeuble, s'est rué à mon étage, a défoncé ma porte.

AAAAAH!

J'ai pensé mourir, pour une deuxième fois dans la même soirée. J'étais au téléphone avec mes parents en attendant que Jean arrive.

Il avait signalé un mauvais numéro et parlé à je ne sais qui.

Il fallait voir son visage quand il est entré. Et ensuite quand il a réalisé que tout allait bien. «Coucou, c'est moi.»

Que d'émotions!

Saine et sauve chez mes coéquipiers, presque remise de mes émotions, je racontais les faits à Dan. L'hypothèse du voisin saoul fut émise de nouveau. «Mais non, il a une clé de chez moi et ce n'est pas la première fois qu'il entre chez moi, ce type-là. Il est venu plus tôt dans la journée. Il n'a rien pris, rien déplacé mais il a déposé une lime et des citrons dans mon sac de voyage. Je n'avais pas pris le temps de le défaire complètement quand nous sommes revenus de Cleveland, ce matin. Tu parles d'un maniaque. Il est venu dans ma chambre, a ouvert mon sac, a fouillé dedans, y a mis sa lime et ses citrons. Ça signifie quoi une lime et des citrons? Veux-tu bien me le dire?» demandai-je à Dan.

Les mâchoires de Dan et de Jean ont descendu de 20 centimètres. La lime et les citrons, c'étaient eux. Pour me faire une farce, ils les avaient mis dans mon sac pendant le vol nous ramenant de Cleveland. Je ne m'étais aperçue de rien dans l'avion et encore moins quand j'avais fouillé dans le sac avant de filer à la séance d'entraînement de l'après-midi.

Il n'y avait donc aucun rapport avec le maniaque.

Mais les coups de téléphone anonymes... quelques jours auparavant? J'ai changé mon numéro de téléphone et je redouble de prudence maintenant.

Je ne passe pas que des mauvais moments à Atlanta. Ma vie mondaine est parfois très excitante. Grandes réceptions, galas, soupers fins dans les meilleurs restaurants de la ville. Je rencontre des gens charmants, très intéressants. De grandes vedettes de cinéma et de sport comme MacGyver, Bruce McNall, Tiger Williams, Ken Dryden, Mickael Smith, Rocket Ismail.

Ça m'impressionne. Ce sont des gens très connus, que tout le monde admire, mais ils ont su rester simples. À les côtoyer, je m'aperçois que ce sont des gens comme vous et moi. C'est une belle leçon de vie.

Les smokings, les belles robes de soirée, les limousines blanches, c'est bien beau mais ce n'est que de la frime. Je veux rester la petite Manon du Lac Beauport. Ça me gêne parfois beaucoup tout ce *glamour*. Je joue le jeu, ça fait partie du boulot. Mais je dois avouer, pour être honnête, que ça m'amuse bien aussi.

Ce qui m'amuse encore plus, c'est de me retrouver parmi mes admirateurs.

Il n'est pas rare que des Québécois se trouvant à Atlanta pour leur travail viennent assister à une partie des Knights, au centre Omni, dans l'espoir de me voir jouer. Je ne joue pas, mais je regarde la partie dans les estrades. Une fois qu'ils m'ont repérée, ils viennent me retrouver pour me saluer et me dire combien ils sont fiers de moi. C'est gênant mais ça fait chaud au cœur. Et c'est tellement plaisant d'entendre parler français. J'avoue avoir parfois le mal du pays.

Et puis, il y a tous les autres, jeunes et moins jeunes, qui demandent des autographes. Je ne signe rien pendant les parties, sinon ça ne finirait pas et de plus, ça m'empêcherait de noter les statistiques que Gene Ubriaco me demande de tenir. Alors, ils m'attendent à la sortie du centre Omni. Ils crient, ils tirent sur mes vêtements. Ça me fait rire.

Ça me rappelle quand j'étais toute jeune et que j'attendais les joueurs des Nordiques à la sortie du Colisée. J'avais les yeux grands ouverts et le sourire béat. Quel contentement c'était d'avoir touché un de ces grands!

Je ne peux malheureusement contenter tout le monde. Certains *fans* sont déçus de me voir partir et d'avoir attendu, en vain, la carte de hockey et le stylo en l'air.

Même chose pour les lettres qu'ils m'envoient. J'en reçois jusqu'à 100 par jour. Je voudrais bien répondre à tous, mais c'est impossible. Je n'ai pas le temps. Les boîtes s'accumulent au centre Omni, dans mon salon, dans ma salle à manger. Je ne sais plus où les mettre. J'ai perdu le contrôle.

Je réponds prioritairement aux gens qui me demandent de signer une carte et qui prennent la précaution d'envoyer une enveloppe de retour déjà adressée et affranchie. Ça va plus vite. Mais les autres, je ne vois pas le jour où j'en viendrai à bout.

Les gens m'envoient toutes sortes de choses à signer: des rondelles, des chandails, des revues. Ils m'envoient des cadeaux aussi: des chocolats (j'adore, c'est mon péché mignon), du papier à lettres, des dessins me représentant devant mon filet, des photos d'eux (au cas où je m'ennuierais un soir). J'ai même reçu un baladeur et du bacon en conserve.

Des gens se confient à moi, me racontent leurs problèmes. Je trouve cela parfois très embêtant. Je voudrais bien les aider, mais je ne sais pas quoi leur répondre. Certains d'entre eux ont de très gros problèmes et je ne suis pas qualifiée pour les aider. La confiance qu'ils m'accordent me touche beaucoup; j'aimerais tellement faire quelque chose pour eux.

D'autres me demandent des renseignements sur le hockey, des conseils sur le chemin à suivre pour devenir gardien de but. Des petites filles veulent savoir où elles pourraient jouer.

Des groupes féministes, des curés m'encouragent à repousser des offres comme celle qui m'a été faite par *Playboy*.

Les gens se donnent la peine. Il faudrait que je trouve une solution pour leur répondre à tous. Je réponds le plus vite possible. J'en fais un peu chaque soir, mais je ne vois pas le bout du tunnel.

Je me suis rendu compte que j'étais devenue un personnage public, le jour où les gens se sont mis à me reconnaître dans la rue. Dans les endroits fréquentés par des amateurs de sport, c'est évident que je ne passe pas inaperçue. Les gens viennent me saluer, demandent des autographes, m'offrent un verre. Les restaurateurs me font des petites faveurs.

Ça dépend aussi de la façon dont je suis habillée. Quand je me promène en jeans, blouson et queue de cheval je passe plutôt incognito. Ce que je préfère.

Un objet médiatique

Si je suis devenue un objet médiatique, c'est bien contre ma volonté. Je n'ai jamais demandé toute cette attention des médias.

Le 26 novembre 1991, quand j'ai gardé une période avec les Draveurs de Trois-Rivières, au niveau junior majeur, tout le monde s'est jeté sur la nouvelle. Des médias de toute l'Amérique du Nord téléphonaient pour m'interviewer. Je répondais à leurs questions, tout simplement.

C'était intéressant pour eux. Ils avaient de la chair fraîche à se mettre sous la dent, quelque chose hors de l'ordinaire à offrir à leurs lecteurs ou téléspectateurs, un phénomène nouveau à analyser.

C'était nouveau pour eux, mais pas pour moi.

Je garde les buts depuis l'âge de cinq ans. J'ai toujours été la première fille, que ce soit au niveau pee-wee, bantam, midget. Je n'ai jamais eu le sentiment de faire quelque chose d'extraordinaire. J'ai toujours joué au hockey parce que j'aimais ça. Les circonstances ont fait que j'ai gardé les buts. Les circonstances ont fait que c'était, la plupart du temps, dans une équipe de garçons. Les circonstances ont fait que je me suis toujours accrochée, que je n'ai jamais voulu jeter les gants, laisser tomber le masque. Le hockey, c'est une passion pour moi. Je ne le dirai jamais assez.

Quand j'ai gardé les buts lors du Tournoi pee-wee de Québec en 1984, les journalistes trouvaient ça mignon.

Une petite fille parmi tous ces petits garçons, c'était une curiosité gentille. Ça attirait l'attention, sans plus.

Les journalistes de Québec ont suivi ma carrière, au fil des ans. Ce n'était qu'un phénomène local.

Quand les médias nationaux se sont jetés sur moi, le lendemain de ma partie au niveau junior majeur, j'ai été surprise. Pour moi, encore une fois, je ne faisais rien d'extraordinaire.

J'ai répondu du mieux que je pouvais à leurs questions, mais je me suis vite sentie dépasser par les événements. Cela devenait démesuré. J'ai pris peur. C'est à ce moment que mes parents et moi avons fait appel à une firme de relations publiques, National.

Je nous revois dans le bureau de Daniel Lamarre. Nous lui expliquions notre problème, nous tentions de le convaincre de s'occuper de notre cas. Ça ne semblait pas l'enchanter.

J'ai su, plus tard, qu'il était certain que mes parents voulaient profiter de la situation et que tout ce qu'ils désiraient était de faire de l'argent avec cette histoire.

À force de discussions, ses préjugés sont tombés. Il s'est rendu compte que mes parents voulaient me protéger, qu'ils avaient besoin d'aide. Il s'est rendu compte que je ne me racontais pas d'histoires, que j'étais sincère, que je vivais une passion mais que je restais tout de même rationnelle.

Il a décidé de nous aider et il a mis Paul Wilson, un de ses assistants, sur notre «cas». Quel soulagement!

Au début, nous avons accepté toutes les demandes d'entrevues. Il n'y a pas une émission de radio, de télé, pas un journal au Québec qui ne m'ait interviewée. C'était la folie furieuse. Déjà, à ce moment, je n'avais presque plus de moments pour moi.

Il a fallu faire un tri.

Et puis il y a eu l'offre de la revue *Playboy*.

Alors là! Heureusement que National était là.

Qu'est-ce que j'avais à faire avec *Playboy*? Le montant était bien sûr intéressant, «on parlait d'une somme allant jusqu'à 40 000 $, mais qu'est-ce que l'argent, si on n'est pas fière de soi? Des gens me disaient que ce n'était pas si grave que ça, qu'on ne vivait plus au temps de nos grands-mères, d'en profiter...

Mais non! Je n'étais pas intéressée. La décision a été très facile à prendre pour moi et National a fait le reste.

Après *Playboy*, ce fut l'invitation pour le camp de Tampa Bay, qui a fait couler beaucoup d'encre. Ce n'était plus vivable. Les demandes venaient maintenant des États-Unis, d'Europe, d'Afrique du Nord et du Japon. Le phénomène ne désenflait pas.

Je me souviens tout particulièrement d'une entrevue à Montréal avec Réjean Tremblay, de *La Presse*. Nous avons bien ri, tous les deux.

Alors qu'il m'interviewait à propos de ma sélection au sein de l'équipe des Knights d'Atlanta, il me dit:

— Tu sais, Manon, si, il y a cinq ans, j'avais écrit quelque chose comme ça dans *Lance et compte*, le monde m'aurait traité de fou.

— Réjean, tu ne te rappelles pas qu'il y a cinq ans, une jeune fille de la région de Québec avait communiqué avec toi justement pour faire quelque chose du genre?

— Oui... Peut-être...

— Eh bien! c'était moi, la fille.

— C'est pas vrai! J'aurais dû sauter sur l'occasion. Tout le monde aurait dit que j'étais un génie.

À cette époque, j'avais essayé de le convaincre de parler des filles dans le hockey pour aider d'autres filles plus jeunes à réaliser leurs ambitions. Je ne pensais jamais que ça finirait par m'arriver.

Un peu plus tard vint ma participation à l'émission de David Letterman, qui m'a vraiment fait connaître aux États-Unis. Cela a eu un très gros impact sur ma popularité. Au Québec, en 1992, un sondage Léger et Léger sur les athlètes préférées des Québécois me classait en quatrième position, derrière Sylvie Bernier, Myriam Bédard et Sylvie Daigle. Le quotidien *USA Today* de décembre 1992 me classait en treizième position, juste devant Mario Lemieux. La même année, le magazine *Time* classait le fait que je sois la première femme à faire partie d'une ligue de professionnels en septième position, pour ce qui est de la valeur de l'exploit sportif de l'année.

Depuis le début de cette histoire, les médias sont partagés face à mes possibilités de réussite. Il y a des sceptiques et c'est normal. Ma présence dérange des gens parce que je bouleverse leurs valeurs et c'est normal. Je respecte leur opinion. Je leur demande de respecter la mienne. Qu'ils me laissent aller, on verra bien!

D'ailleurs, les sceptiques sont de plus en plus confondus.

Tout a commencé le jour où Patrick Roy a accepté de me donner des conseils, lors d'une séance d'entraînement des Canadiens, au Forum de Montréal.

Au début, les joueurs lançaient doucement. Ils se rendaient compte que je bloquais. Les lancers devenaient de plus en plus forts et je bloquais toujours. Ils y sont allés avec leurs lancers-frappés et disons que... je les ai surpris. Les journalistes qui étaient dans les estrades étaient surpris aussi, d'ailleurs.

Mais, je le sais, il y a encore beaucoup de sceptiques. Ils le disent très fort et parfois avec méchanceté. J'essaie de ne pas m'en faire avec ça, mais je ne peux pas rester insensible à certains propos; parfois je suis blessée. Je ne contrôle pas toujours mes émotions: je ne suis pas faite de bois. Mais ça fait partie du métier. Avec le temps, je vais me blinder ou encore je ne lirai plus les journaux, comme le font la majorité des joueurs.

Je suis consciente que je ne suis pas du calibre de la Ligue nationale. Je suis à Atlanta pour apprendre. J'ai un contrat de trois ans pour m'améliorer et c'est ce que je fais. On s'en reparlera à l'échéance de mon contrat.

Si j'avais voulu, j'aurais pu m'asseoir sur mes acquis et profiter des retombées de cette histoire. Déjà, avant le camp de Tampa Bay, j'avais des offres intéressantes pour une carrière en communications. Après que j'ai été acceptée au sein des Knights, on m'a offert des contrats encore plus intéressants en communications, mais j'ai encore choisi le hockey.

Si Phil Esposito en retire des bénéfices, eh bien! tant mieux. Pendant ce temps-là, moi j'apprends et je vis une expérience extraordinaire. C'est un bon échange de services.

Que les médias me courent après si ça leur fait plaisir. Qu'ils parlent de moi autant qu'ils le veulent et de la façon dont ils le veulent. Moi, je sais où je m'en vais et j'y vais. Je ne sais pas où cela aboutira mais, au moins, je serai allée au bout de ma folie.

À suivre...

Si je suis arrivée là où j'en suis, c'est grâce à mes parents. Ils nous ont appuyés financièrement et mentalement, mes frères et moi. Jamais ils n'ont été négatifs envers nous. Ils nous montraient plutôt le beau côté des choses, même dans les pires moments.

Mes parents m'ont appris le respect. Le respect des autres et surtout le respect de moi-même.

Je suis restée la même personne, la petite fille du Lac Beauport. Je n'ai pas changé mes habitudes, mon comportement ou mon langage. Je continue à appeler mes amis et à voir ma famille, mes petits cousins et cousines adorés.

Je garde les buts parce que j'aime ça. C'est maintenant mon travail et ça m'amuse. Je mène la vie que j'ai toujours rêvé de vivre: jouer au hockey. Je me lève le matin et je suis heureuse d'aller m'entraîner.

Tout ce qui arrive en dehors du hockey, je ne l'ai pas cherché. C'est venu tout seul.

C'est évident que cela me fait vivre des choses palpitantes qui ne me seraient jamais arrivées si j'avais fait du macramé, mais je ne me sens pas pour autant une vedette.

Je suis tout simplement une femme qui a la chance de vivre une belle expérience et qui en profite.

Ce qui m'a toujours aidée et qui m'aide encore, c'est que je suis fondamentalement réaliste.

Je suis une réaliste... rêveuse. J'aime imaginer des situations dans ma tête. Je me construis des scénarios où je vis des moments agréables, dans des lieux merveilleux, avec des gens formidables.

Quand je désire vraiment que quelque chose m'arrive, je le vois dans ma tête. La plupart du temps, ça se réalise.

Je fais ça depuis que je suis toute petite, sans savoir que cela s'appelle de la visualisation.

Je me vois dans quelques années avec de beaux enfants et un homme autour de moi. Je vois une belle maison avec un jardin fleuri. Dans la cour arrière, je vois une glace couverte où on pourra patiner toute l'année. Je me vois travailler dans ma propre entreprise dans le domaine des communications ou bien dans un domaine où il y aura tout plein de jeunes enfants.

Pour ce qui est de mes rêves à court et moyen termes, je ne vous les dis pas. Ça pourrait porter malheur.

Témoignages

«*Tu peux faire du macramé, si tu veux, ma petite chérie.*»

PIERRE RHÉAUME

Cette petite a créé sa chance. Elle se fixait un but et l'atteignait. On aurait pu jurer qu'elle prédisait l'avenir.

Elle avait décidé dans sa petite tête d'enfant qu'elle jouerait au hockey avec ses frères. Elle s'est retrouvée devant le filet, car ses frères avaient besoin de pratiquer leurs lancers. Comme elle voulait leur prouver qu'elle était digne d'eux, elle s'efforçait de toujours bien faire. Cette façon de penser est toujours restée la sienne.

Son rêve n'était pas de jouer dans la Ligue nationale. C'était impensable, à cette époque. Aucune femme ne l'ayant déjà fait, elle ne pouvait pas s'imaginer dans une telle situation.

Son rêve, c'était de jouer au hockey.

Sa guerre, c'était que les gens la laissent faire, la laissent évoluer, au même titre que tous les autres joueurs.

Au début, quand elle nous a annoncé qu'elle voulait jouer, nous avons trouvé cela mignon. Nous pensions, Nicole et moi, que ce n'était qu'une passade. Une affaire d'une saison ou deux. Qu'elle ferait plutôt du patinage artistique, comme toutes les petites filles sages.

Mais non!

Le hockey est devenu une passion pour elle. Pour nous, l'important c'était qu'elle ait du plaisir.

Manon a une force de caractère hors du commun et un orgueil gros comme une montagne. Quand elle décide quelque chose, il faut que cela se produise.

Quand elle n'était encore qu'une toute petite atome de neuf ans, elle avait annoncé qu'elle ferait le Tournoi international pee-wee. Elle s'était fixé cet objectif. Nicole et moi trouvions qu'elle rêvait en couleurs. Nous avons rigolé. Mais l'avenir lui a donné raison. Elle l'a fait, le tournoi, et trois fois plutôt qu'une.

Nous croyions réellement que cette lubie lui passerait rapidement. Mais quand elle s'est mise à nous demander de l'inscrire à des écoles de hockey, comme ses frères, on l'a prise au sérieux.

La dernière année pee-wee, à treize ans, elle nous a encore dit: «L'année prochaine, je fais le camp du bantam AA et je le passe. Je ne serai pas retranchée. Je vais jouer bantam AA, c'est certain.» Elle a travaillé tellement fort qu'elle a réussi à faire ce qu'elle voulait.

C'est au niveau midget que les choses se sont gâtées. Le système est devenu plus fort qu'elle.

Pour en arriver là où elle est rendue, Manon a travaillé très fort.

Elle ne se plaignait que très rarement des mauvais coups qu'elle recevait. Je me souviens d'une fois où, encore toute petite, elle est venue me voir la larme à l'œil pour me dire qu'un lancer lui avait fait mal. J'ai été obligé de lui répondre froidement: «Manon, le macramé, c'est moins dur. Il va falloir que tu te fasses une idée.» Elle m'a lancé un de ces regards avant de se retourner et de repartir sur la glace! Elle m'aurait fusillé.

Ça avait été difficile à dire mais si j'avais répondu à ses larmes, elle aurait alors pris l'habitude de se plaindre. Elle aurait donné prise à ses détracteurs: «Vous voyez. Ce n'est pas possible d'avoir une fille dans une équipe, on est toujours obligé de la soigner, de la consoler.»

J'ai dû l'obliger à s'endurcir plus qu'un garçon, car lorsqu'elle recevait un lancer dans la grille de son masque et qu'elle tombait sur le dos, on entendait dans les estrades: «On sait bien, c'est une fille.» Lorsque la même chose arrivait à un garçon, c'était plutôt: «As-tu vu le lancer? Ça n'a pas d'allure!»

La pauvre Manon a tellement bien appris à ne pas se plaindre que cela en est presque devenu dangereux. Elle a développé un niveau de tolérance très élevé.

Même toute petite lorsqu'elle se faisait mal, que ce soit une jambe ou un poignet cassé en ski, une foulure ou un bout de langue arraché sur un poteau glacé de la patinoire extérieure, Manon réagissait comme une adulte. C'était assez surprenant. Les médecins n'en revenaient jamais.

Je me souviens du temps où elle jouait au niveau peewee surtout. Elle s'était cassé un orteil en se cognant sur un meuble dans la maison, tout simplement. Elle ne voulait absolument pas rater une semaine de hockey pour se soigner. Je devais fixer l'orteil cassé en l'attachant avec un autre. Elle jouait ses parties comme si de rien n'était. Pas une grimace, pas un cri de douleur.

Un jour, elle m'est arrivée en disant: «Là, ça n'a plus d'allure. J'ai la cuisse noire.» Elle m'a montré sa jambe. L'intérieur de sa cuisse était noir, du genou à l'aine. Son équipement ne la protégeait plus assez contre les lancers. À treize ans, les joueurs prennent de la force et de la puissance, la rondelle arrive plus durement.

Je l'ai amenée tout de suite acheter un pantalon neuf. Il a fallu, aussi, lui trouver un plastron. Celui qu'elle avait n'était pas sûr au niveau des aisselles et des coudes. Et puis, elle était devenue une grande fille, avec une poitrine qui se développait. Les fabriquants d'équipement n'avaient pas prévu qu'un gardien de but aurait besoin d'un protège-poitrine. Il a fallu que je me serve de mon imagination de bricoleur: je me suis servi de la fibre de verre d'une vieille paire de jambières pour lui en faire un. C'était artisanal, mais ça tenait encore le coup en 1992. Elle le portait lorsqu'elle a commencé sa saison avec les Knights d'Atlanta, en novembre 1992.

Je me souviens d'une autre fois, elle était encore pee-wee, où c'est moi qui l'ai blessée par inadvertance.

Je venais de me garer, à l'aréna de Charlesbourg. Elle et moi sortions les sacs de hockey et les bâtons du coffre arrière. En fermant trop rapidement la portière, je lui ai coincé les doigts.

Mon cœur a failli s'arrêter. Le temps de retrouver mes clés et de déverrouiller la portière m'a semblé bien long. Elle hurlait de douleur et les larmes coulaient à flot.

Ses doigts étaient rayés d'une grande ligne bleue. J'ai vite ramassé de la neige, par terre, pour y mettre la main dedans, pour empêcher la blessure d'enfler et calmer la douleur. Dès qu'elle a pu produire des sons intelligibles, elle m'a dit en me pointant de sa main valide: «Écoute-moi bien. C'est à mon tour de jouer, ce soir. Il n'est pas question que tu me remplaces. O.K.?»

Je n'osais pas dire non tout de suite, mais je savais que les chances qu'elle puisse jouer étaient minces: «Manon, on va entrer et on verra plus tard, dans la chambre. Garde ta main dans la neige», lui ai-je suggéré.

Elle n'a pas voulu qu'on l'aide à s'habiller. Elle mettait une pièce d'équipement et elle prenait un moment pour remettre sa main dans la neige et reprendre son souffle. Elle faisait pitié.

Mon gérant, Michel Fiset, trouvait que ça n'avait aucun sens de la faire jouer, mais nous avons laissé Manon décider elle-même.

Elle a joué sa partie, malgré la douleur. Plutôt bien, d'ailleurs.

Manon s'est tellement endurcie qu'elle n'est jamais restée allongée sur la glace même lorsqu'elle se blessait sérieusement. Un muscle étiré, l'arcade sourcilière coupée, le sang lui coulant dans le visage, elle ne s'arrêtait pas. C'était le soigneur qui la sortait du jeu en lui reprochant sa témérité. N'importe quel autre gardien se serait couché pour demander un arrêt du jeu. Pas elle. Elle ne veut pas se coucher par terre. Elle endure son mal, ne dit pas un mot et continue de garder son but.

Je crois que le jour où je lui ai dit qu'elle pourrait faire du macramé au lieu de jouer au hockey l'a drôlement marquée.

«*Seule. Si seule devant le but.*»

NICOLE RHÉAUME

Martin avait deux ans quand Manon est née, le 24 février 1972. Elle a choisi de venir au monde entre deux terribles tempêtes de neige. Les charrues avaient de la difficulté à se frayer un passage dans les rues. Il fallait d'abord ouvrir avec une souffleuse à neige. Nous n'avions jamais vu cela.

Ce fut un accouchement long et difficile, mais quel beau bébé nous avons eu. Pas difficile, pas braillard.

J'avais l'habitude de bien l'emmitoufler dans son carrosse et de la laisser dormir dehors au grand air. Manon, c'était notre belle petite fée des glaces toute rose.

Quinze mois plus tard, Pascal est venu à son tour. Ce nouveau petit frère a rendu Manon un peu sauvage. Il n'était pas question que des étrangers l'approchent ou la regardent. Elle leur faisait des crises si jamais l'un d'eux s'avisait de lui parler ou de lui sourire.

Pierre ne pouvait même pas la garder quand je m'absentais de la maison. Il n'y en avait que pour moi.

Les enfants ont commencé à patiner très jeunes. Manon a eu ses premiers patins à trois ans. Elle a appris très rapidement les rudiments du patinage. Il n'était pas question qu'on lui tienne la main, car elle la retirait tout de suite.

Cette petite, quand elle avait appris quelque chose, il ne fallait pas insister pour le lui montrer plus longtemps. Et le pire, c'est qu'elle avait effectivement compris. On n'avait pas à répéter. Elle était là, avec ses petits yeux perçants, et elle disait: «Laisse-moi faire. Ôte-toi de là.» C'était la même histoire dans tous les domaines. Elle est encore comme ça, d'ailleurs. C'est une petite rapide.

La vie d'une mère de gardien de but est terriblement plus éprouvante que celle d'un joueur. Et je sais de quoi je parle, puisque je suis aussi mère de joueurs. Je suis très nerveuse quand je regarde Manon jouer, mais pas lorsque j'assiste à une partie où c'est Pascal ou Martin qui joue.

Ce n'est pas parce que j'ai peur que ma petite fille se blesse, pas du tout. Ça n'a rien à voir avec son sexe. Un gardien, ce n'est pas pareil.

Quand un joueur d'avant fait une erreur, l'autre avant ou encore les défenseurs vont essayer de récupérer la situation. Mais quand un gardien en fait une, il n'y a plus rien à faire. Le but est compté. Il est toujours tout seul devant son but.

De plus, la première réaction de certaines personnes dans le public quand un but est compté, c'est d'accuser le gardien d'avoir été faible. Les remarques fusent de partout.

C'est effrayant tout ce qui peut se dire sur le compte d'un gardien et sur Manon en particulier. «Veux-tu bien me dire ce qu'elle fait là, elle? Il y en a plein de gars qui voudraient garder les buts. Elle vole la place de quelqu'un.»

Ça me fait mal quand j'entends ça.

Parfois, oui, elle se fait passer des sapins. Tout comme Patrick Roy ou n'importe quel grand gardien. Mais d'autres fois, ces remarques ne sont aucunement justifiées. Elles ne sont que méchantes.

C'est pour cela que je m'isole toujours dans un coin des estrades. Loin des autres parents de joueurs et si possible aussi des simples spectateurs.

Quand Manon joue, je bouge continuellement sur mon banc, je gesticule tout le temps, je parle tout le temps. C'est un peu comme si j'étais dans sa peau. Je voudrais l'aider.

Bien qu'elle se soit blessée à quelques reprises, je n'ai pas trop peur qu'elle se fasse vraiment mal car un jour, elle m'a expliqué que les bruits semblaient beaucoup plus effrayants des estrades qu'ils ne l'étaient en réalité. Ça résonne fort, les rondelles arrivent vite, mais il n'y a pas de danger.

Je veux bien la croire, mais je me méfie un peu de sa fierté, de son orgueil. Lorsqu'elle reçoit des lancers durs, elle se frotte un peu, pas longtemps, et elle continue. Mais elle se retrouve avec des bleus immenses et douloureux.

J'essaie de faire abstraction des blessures. Je ne veux pas y penser. Je me construis une carapace, tout comme elle, et je lui fais confiance. Je me dis qu'une descente en ski aux Jeux olympiques est bien plus dangereuse.

Si je suis nerveuse quand Manon joue, c'est seulement parce que je veux qu'elle donne une bonne performance. Elle est tellement seule devant son filet.

J'ai toujours trouvé que les gardiens de but faisaient pitié. Je la revois, toute petite, devant son gros but pendant que les autres gamins s'amusaient à l'autre bout de la patinoire. Seule. Si seule devant le but. C'est une tâche tellement lourde de responsabilités.

Ne devient pas gardien de but qui veut. Il faut avoir un caractère très spécial pour pouvoir supporter cette pression. Il faut être très autonome. Ça prend quelqu'un qui a une grande faculté de concentration, qui se met dans une bulle et qui ne se laisse pas déranger par les événements extérieurs.

Manon a toujours été comme ça. Très souvent, elle montait dans sa chambre, fermait la porte, mettait de la musique et lisait. Elle s'amusait beaucoup toute seule, avec des amis imaginaires. Elle pouvait passer des heures à jouer ou à étudier sans être dérangée par ce qui se passait à côté, toujours très concentrée sur ce qu'elle faisait. Quand c'était le temps des études, toute sa tête était aux études. Quand c'était le temps du hockey, toute sa tête y était. Pas de demimesure avec Manon. À cause de sa très grande faculté de concentration, elle réussissait tout ce qu'elle entreprenait.

Manon, c'est une gagnante.

Manon, c'est aussi une personne très curieuse, qui veut tout savoir, tout comprendre.

Toute jeune, c'était une fouineuse hors pair. Pour tout voir, elle faisait des acrobaties qui me faisaient frémir.

Souvent, nous avons dû la conduire à l'hôpital. La première fois, pour un bras cassé, à deux ans, lorsqu'elle était allée chercher son pantalon rouge sur la table de couture et puis à trois ans, pour une commotion cérébrale. Elle venait de dégringoler de l'établi de Pierre. Je ne pouvais pas la laisser deux minutes toute seule.

Je ne peux pas la qualifier de casse-cou, mais plutôt de fonceuse. Elle voulait tout faire elle-même sans demander l'aide de personne, c'est pourquoi elle prenait parfois des risques.

Alors que Martin et Pascal étaient casse-cou et ne se faisaient jamais mal, elle, au contraire, se cassait toujours quelque chose. Les gars faisaient les fous en ski toute la journée; ils revenaient sains et saufs. Elle pratiquait ses techniques, dans la neige poudreuse, en faisant attention à son style, et elle se cassait une jambe.

Elle n'était pas chanceuse. Elle avait toujours quelque chose dans le plâtre.

Je la revois, sur la patinoire dans notre cour, la jambe dans le plâtre jusqu'à la cuisse. Elle ne pouvait pas jouer avec son équipe de hockey, mais ça ne l'empêchait pas de garder les buts pour ses frères.

Si elle était si dure avec elle-même, c'était sans doute à cause de nous. Je l'entendais parfois pousser de petits cris de douleur et ça me faisait mal au cœur. Mais je faisais confiance à Pierre. Il était parfois dur avec elle, mais il ne lui aurait pas laissé faire des choses qu'elle ne pouvait pas faire. Il ne tolérait pas le danger.

Curieusement, elle avait beau être fonceuse et faire preuve de bravoure devant les rondelles, c'était une enfant très peureuse dans la vie de tous les jours.

Dès que Pierre et moi quittions la maison pour la soirée, l'inquiétude s'emparait d'elle. La plupart du temps, elle s'arrangeait pour se faire inviter chez Mireille, la sœur de Pierre. Si ce n'était pas possible, elle se dépêchait d'aller se coucher, avant ses frères, pour être bien certaine de dormir au moment où le silence et les craquements nocturnes régneraient dans la grande maison.

Si, par malheur, elle se réveillait en pleine nuit et qu'elle réalisait que nous n'étions pas encore revenus, elle se faufilait dans le lit de Pascal ou de Martin afin de retrouver le sommeil.

Elle est encore un peu peureuse. Cela vient peut-être du fait que j'écoutais toujours les nouvelles à la télévision. Elle n'était pas intéressée par ce qui se passait sur le petit écran, mais elle entendait tout de même ce qui s'y disait. Elle entendait parler de vols, de kidnappings, de viols, d'assassinats. Elle a peut-être été très impressionnée par toutes ces histoires.

Encore maintenant, elle n'aime pas rester seule à la maison, sortir le soir sans être accompagnée et circuler en voiture dans des quartiers qu'elle ne connaît pas.

Manon et moi avons été, presque toujours, très proches l'une de l'autre. Elle me racontait tout, comme à une amie. Pour ma part, je lui disais ce qu'une petite fille peut comprendre.

Quand elle est devenue amoureuse, pour la première fois, elle a pris ses distances. Elle ne me parlait plus. C'était comme si je n'existais plus.

Au bout d'un an et demi, les amours se sont brisées et par le fait même, j'ai retrouvé mon amie. Tout est redevenu comme avant: les confidences, les plaisirs, les grands fous rires.

Par la suite, ses amours n'ont plus jamais dérangé notre relation. La jeune adolescente était devenue une femme. Tout d'un coup. Elle pouvait, dès lors, faire des compartiments dans sa vie, ne pas tout confondre. Elle ouvrait un tiroir, en refermait un autre et la vie continuait sans chambardement majeur. Nous sommes encore très complices.

Je suis très fière de Manon. Je suis très fière de la femme qu'elle est devenue et très fière du cheminement de sa carrière.

J'ai tenu à la suivre, lors du camp d'entraînement de Tampa Bay. Je n'aurais pas voulu manquer ça pour tout l'or du monde.

J'ai bien aimé l'attitude des gars du Lightning envers elle. Au début du camp, pour la majorité d'entre eux, sa présence ne constituait qu'un truc pour attirer l'attention sur l'équipe. Ceux qu'elle avait rencontrés pour la promotion du club, un peu plus tôt durant l'été, la connaissaient mieux et savaient à quoi s'attendre avec elle. Ils reconnaissaient son potentiel.

J'ai trouvé les gars très gentlemen. Il n'y a jamais eu de paroles ou de gestes déplacés. Ils la trouvaient bien jolie, mais ils n'ont jamais essayé de lui faire la cour. Tout le monde était à sa place. Entre collègues.

Manon a commencé à gagner le respect des sceptiques lors de la journée des tests physiques, la première journée du camp. Ils ont vu qu'elle était capable de faire des efforts. Qu'elle savait faire autre chose que des photos.

Elle m'a éblouie moi-même.

Je ne l'avais pas vue de l'été. Elle était toujours partie pour des activités de promotion et pour son travail. Elle s'était entraînée très fort au cours des semaines précédant le camp et les résultats étaient fulgurants. J'étais la première surprise.

Elle ne patinait pas aussi rapidement que les gars. C'est normal, puisqu'ils sont plus forts et qu'ils ont de plus longues jambes. Par contre, elle les suivait tout le temps, elle faisait tout comme eux. Jamais elle ne se plaignait. Elle était essoufflée, oui, mais elle ne se pliait pas en deux, comme certains. Elle restait droite.

Elle est tellement orgueilleuse et fière.

Elle a rallié à sa cause les derniers incrédules de l'équipe lors de la toute première partie disputée à l'intérieur de l'équipe. Ça a été une partie du tonnerre.

Lorsqu'elle est montée sur la glace, les gens n'avaient d'yeux que pour elle. Tous les médias y étaient: des caméras partout, des flashes, des micros. Des yeux, des yeux partout. Il y avait beaucoup de pression sur les épaules de mon «p'tit bout» de fille.

Je regardais la force des lancers et j'avais le souffle coupé. Je savais qu'elle n'avait pas peur de la rondelle, mais il fallait qu'elle le prouve à ses coéquipiers.

Par moments, c'était tellement énervant que j'avais de la difficulté à supporter ce qui se passait sur la glace. Surtout lors des échauffourées autour du but.

Parfois, je ne la voyais plus. Elle était en dessous de ces grands gars de 6 pieds, 190 livres. Et puis hop là, je voyais mon «p'tit bout» qui ressortait d'en dessous de l'amoncellement de corps. Je pouvais respirer de nouveau.

Ça fait vraiment une drôle de sensation de voir sa fille dans ce monde d'hommes.

Elle n'a gardé le but que vingt minutes, mais ça m'a paru une éternité. Je regardais les lancers, l'horloge, les lancers, l'horloge... C'étaient des jeux rapides. C'était fort.

Mon «p'tit bout» n'a pas accordé de but lors de sa première apparition sur la glace. Chapeau! Elle voulait montrer aux sceptiques qu'elle pouvait garder les buts. Mission accomplie!

Manon a relevé le défi et a tenu sa place. Elle n'a pas perdu la face, lors de ce camp. Elle a préservé la crédibilité de tout le monde: la sienne, celle de Phil Esposito, de Jacques Campeau. D'ailleurs, Campeau m'a avoué la nervosité qui les tenait, tous les deux, lors de la première séance d'entraînement de Manon. Le fait qu'elle n'ait accordé aucun but les rassurait. Ils avaient pris un beau risque.

«Manon, je vais te rattraper!»

PASCAL RHÉAUME

Manon a toujours été ma plus grande complice. Nous nous racontons tout: nos amours, nos joies, nos peines.

Je me rappelle, tout petits, les fous rires qui nous prenaient à table. Nous étions assis l'un en face de l'autre et nous faisions des grimaces pas très appétissantes. Mon père devait souvent nous rappeler à l'ordre.

Quand je n'avais pas envie de faire mes devoirs d'anglais, je les lui refilais. Elle aimait ça, l'école. On l'appelait la «bolle». Elle avait des bonnes notes dans toutes les matières.

Elle m'aidait de bon cœur pour mes leçons. Elle a toujours été très généreuse envers les autres: elle donnait gentiment son temps ou des petits cadeaux.

Hiver comme été, on jouait au hockey. Sur la patinoire ou dans le sous-sol. Parfois, elle faisait l'entraîneur et moi je faisais le gardien. Je mettais ses jambières et ses gants et elle me disait comment me tenir: «Lève ton gant. Déplace-toi. Bouge.» Elle lançait de toutes ses forces pour me déjouer et moi, je faisais tout pour bloquer la rondelle. On pouvait jouer pendant des heures.

Nous avons joué dans la même équipe lors de sa dernière année pee-wee. J'étais vraiment très fier de ma sœur.

J'aurais voulu recevoir un peu d'attention de la part des médias parce que j'étais le frère de Manon Rhéaume, mais non. C'était elle qui réalisait un exploit, ce n'était pas moi. Je n'étais pas jaloux.

J'aimais me promener avec elle au Colisée, lors du Tournoi international pee-wee. Les gens la reconnaissaient et lui disaient bonjour. J'étais fier d'être à ses côtés.

C'est la même chose maintenant.

Manon est devenue un stimulant pour moi. Je ne pensais jamais qu'elle se rendrait aussi loin. Elle me raconte comment ça se passe à Atlanta et me pousse à continuer avec les Devils du New Jersey.

C'est un avenir qui me plairait bien. En 1991-1992, j'ai participé au camp d'entraînement des Devils et je compte bien faire partie de leur club-école l'an prochain.

Je jouerais dans la Ligue américaine et elle dans l'internationale. Qui sait, peut-être qu'un jour, nous nous retrouverons dans la même équipe de nouveau?

«Si jamais j'ai une petite fille, je voudrais qu'elle devienne gardien de but.»

Martin Rhéaume

Entre Manon et moi, l'amour fraternel n'a pas toujours été égal.

Quand nous étions petits, nous étions continuellement ensemble. Si un Rhéaume jouait dans un aréna, les autres étaient dans les estrades. Si un oncle ou une tante voulaient nous retrouver un dimanche après-midi, ce n'était pas à la maison qu'ils venaient. Ils faisaient plutôt le tour des arénas de la ville.

Pascal et moi, comme tous les frères du monde, agacions Manon. Nous aimions, par-dessus tout, lui faire peur.

Elle avait une peur bleue des araignées. Dès que nous en voyions une à la télévision ou dans des livres, nous l'appelions: «Vite, Manon, viens voir!» Elle faisait une crise de nerfs. Nous lui disions que nous en avions attrapé plusieurs et que nous les mettrions dans son lit. Nous savions comment la faire enrager. Mais nous arrêtions avant qu'elle aille nous dénoncer aux parents.

J'ai arrêté de jouer au hockey parce que ma croissance n'a pas été assez rapide. J'étais trop petit pour un bantam. Cela ne m'a pas empêché de rester dans le milieu. J'assistais mon père et par conséquent, je me suis occupé un peu de Manon.

Mais c'est au baseball que j'ai vraiment été son entraîneur. Elle était un très bon receveur. La technique qu'elle avait acquise en jouant au hockey lui servait bien. Elle était aussi très bonne au bâton.

Quand elle a eu dix-sept ou dix-huit ans, nos rapports se sont gâchés. Je ne sais pas trop ce qui s'est passé. Peut-être sa crise d'adolescence retardée? Nous étions comme l'eau et le feu. À tel point que nous ne pouvions même plus nous adresser la parole.

Heureusement, depuis deux ans notre relation est revenue au beau fixe. C'est de nouveau ma copine et on se parle de tout: sa nouvelle vie, mon prochain mariage.

Elle ne rate jamais une occasion de me faire plaisir. Elle n'oublie pas mon anniversaire, m'envoie une carte à la Saint-Valentin, me rapporte des casquettes pour ma collection. Une petite sœur en or.

Si jamais j'ai une fille, je voudrais qu'elle soit comme elle et je veux qu'elle devienne gardien de but.

«Manon fait partie de la gang.»

JEAN BLOUIN,
coéquipier des
Knights d'Atlanta

Nous sommes très fiers de Manon, tous les gars des Knights.

Mais cela n'a pas été facile, pour elle. Nous la regardions venir avec des points d'interrogation sur le front.

Quand je suis parti de Québec pour aller au camp de Tampa Bay, je me disais qu'elle n'avait pas gardé les buts beaucoup dans le junior majeur pour obtenir une place au camp.

Eh bien! elle m'a surpris. Elle a surpris tout le monde.

Il y avait beaucoup de sceptiques. Les gars ne pensaient pas qu'elle pourrait faire grand-chose. Les gars ne croyaient pas en elle, moi le premier.

Pendant le camp, nous ne la ménagions pas. Nous lancions nos rondelles pour que ça rentre, pour gagner contre elle. Nous lancions de partout, mais ça ne rentrait pas. Elle nous a montré qu'elle était capable d'arrêter les rondelles. Elle a bien paru pendant tout le camp.

Nous avons vu que ce n'était pas une farce.

Ici, à Atlanta, c'est la même chose. Elle s'entraîne énormément. Beaucoup plus que tous les autres joueurs. On voit qu'elle est sérieuse et qu'elle veut s'améliorer.

Elle fait partie de la *gang*. Évidemment, au début, il y a eu des commentaires de gars dans le vestiaire. Mais il n'y en a plus, maintenant. Elle a gagné le respect de tout le monde et nous nous sommes habitués à elle. Quand elle est sur la glace, personne ne pense que c'est une fille. Nous ne lançons pas moins fort sur elle que sur Liteman, l'autre gardien de but. Tout le monde pense qu'elle fait partie de l'équipe. Quand nous sommes en dehors de la glace, par contre, nous faisons peut-être un peu plus attention à notre langage.

Nous la taquinons énormément, un peu comme une sœur. De toute manière, nous rions beaucoup. Alors, si nous ne la taquinions pas, elle se sentirait à l'écart. Nous connaissons ses points faibles, nous en profitons, mais elle ne se fâche pas. Elle a bon caractère.

Comme elle fait exactement tout ce que les joueurs doivent faire et qu'elle n'a pas de passe-droit, ça se passe très bien. Évidemment, les médias sont tous tournés vers elle. Cela pourrait causer des jalousies chez certains, mais ça ne semble pas être le cas. On n'en parle pas entre nous, c'est tout.

Le seul petit problème, c'est qu'elle ne vient pas souvent prendre un verre avec ses collègues de la *French Connection*. Elle est trop occupée par toutes les activités de promotion qu'elle doit faire et elle est toujours fatiguée, le soir. Pas moyen de la faire sortir. De toute manière, elle n'aime pas boire.

On a vu ça lors de l'initiation. La pauvre! Elle n'a pas eu le choix. Elle n'en a pas pris beaucoup, mais elle était complètement «défaite».

Elle nous a fait une grosse peur, à Daniel Vincelette et à moi, le soir où elle a eu la visite de son supposé maniaque.

C'est Daniel qui a répondu quand elle a téléphoné. Elle était tellement énervée qu'il n'a pas compris grand-chose à ce qu'elle racontait. Tout ce qu'il a retenu, c'est que quelqu'un avait essayé d'entrer chez elle, qu'elle avait peur, qu'elle aimerait bien que nous allions la chercher chez elle et que nous l'accueillions pour au moins une nuit.

Je suis donc parti à toute vapeur. Dans mon énervement, j'ai dû mal signaler le numéro du code commandant l'ouverture des portes et j'ai sonné chez un voisin. Le pauvre a dû faire une syncope, parce que le ton de ma voix n'annonçait rien de bon pour le maniaque à qui j'étais certain d'avoir affaire.

J'ai été très soulagé quand j'ai vu que tout était «sous contrôle» chez Manon et qu'elle parlait au téléphone en m'attendant.

Nous ne savons toujours pas qui a voulu forcer la porte de Manon, mais je vous jure que plus jamais, je ne mettrai une lime et des citrons dans le sac d'une fille. Juré, craché.

«*Laissez-lui le temps,*
elle n'a que vingt et un ans.»

WENDELL YOUNG,
gardien de but du
Lightning de
Tampa Bay

Tout ce que je peux dire, en tant que gardien de but, c'est: Laissez-lui le temps! Elle n'a que vingt et un ans.

En connaissez-vous beaucoup des gardiens de vingt ans qui *performent* dans la Ligue nationale? Pas vraiment. Les gardiens doivent atteindre une certaine maturité et avoir beaucoup d'expérience pour jouer avec succès.

Nous faisions partie de la même équipe au camp d'entraînement de Tampa Bay. Les Bleus. Quand je l'ai vue garder, lors de la première partie, je n'en suis pas revenu. Incroyable!

Elle avait de très bons réflexes, bougeait rapidement dans le filet, contrôlait son territoire et sa technique n'était pas mal du tout.

Elle possède tout ce qu'il faut pour devenir un très bon gardien. Elle doit tout simplement devenir plus forte physiquement et améliorer son système cardio-vasculaire.

Avec l'expérience qu'elle acquiert à Atlanta, elle pourrait sûrement devenir un très bon gardien. Sa petite taille n'a pas tellement d'importance. On en a vu d'aussi petits qu'elle qui ont su se débrouiller quand même: Alan Bester, Mike Richter, Jon Casey, Mike Vernon.

Il n'en tient qu'à elle. Elle devra travailler très fort, consacrer beaucoup de temps à l'entraînement et se concentrer sur le hockey. Elle semble capable d'assumer la pression médiatique, heureusement.

Moi, je ne serais pas capable.

«*Pour pousser un peu plus loin sa passion.*»

GASTON DRAPEAU,
entraîneur des
Draveurs de Trois-
Rivières.

En tant qu'ancien résident de Québec, j'avais entendu parler de Manon par les journaux. Pendant son époque pee-wee, elle avait tellement défrayé les manchettes qu'il était impossible de ne pas la connaître. Nous nous étions croisés dans les arénas, à quelques reprises, sans plus.

C'est mon dépisteur, Donald Marier, qui me l'a présentée. Quand j'ai su qu'elle aimerait avoir plus d'occasions de s'entraîner avant de participer au Championnat canadien féminin, je n'ai pas hésité à l'inviter à se joindre à nous pour quelques séances d'entraînement. Cela a semblé lui faire très plaisir.

Quand elle est arrivée à l'aréna de Trois-Rivières, je suis allé l'accueillir au stationnement. Comme tout galant homme, je lui ai offert de porter son sac de hockey. Elle n'a jamais voulu.

J'ai l'impression qu'elle a tellement le hockey dans le corps qu'elle assume tout ce qui va avec, entre autres le fait de porter elle-même son sac. Et Dieu sait que le sac du gardien, c'est le plus lourd de l'équipe.

Au début de la séance, les gars n'osaient pas lancer de toutes leurs forces. Il a fallu qu'elle insiste pour recevoir de vrais lancers. J'ai sorti ma caméra, parce que je voulais qu'elle puisse analyser sa technique par la suite. Elle m'a impressionné. Elle maîtrise des points techniques que bien des joueurs du niveau junior ne maîtrisent pas.

C'est à cause de son talent et de ses qualités techniques que je l'ai invitée au camp d'entraînement des Draveurs, l'été suivant. Je l'ai fait pour elle, comme je l'avais déjà fait à Chicoutimi pour d'autres jeunes qui voulaient sentir ce qu'était le junior majeur et comme je le ferais encore pour quelqu'un qui joue bien.

Je l'ai bien regardée jouer, avant de l'inviter. Je voulais m'assurer qu'il n'y avait pas trop d'écart entre elle et les autres. Je ne voulais pas qu'elle devienne la risée du camp.

Elle n'avait rien à envier à personne. Au contraire, elle pouvait se mesurer à de bons gardiens de but parce qu'elle a le souci du détail. Elle est prête à corriger le moindre petit défaut, ce qui n'est pas le cas de la majorité. C'est une perfectionniste.

À cette époque, je suis convaincu qu'elle n'avait aucun intérêt pour le monde professionnel. Tout ce qu'elle voulait, c'était d'être sélectionnée au sein de l'équipe nationale pour aller au Championnat mondial et éventuellement aux Jeux olympiques. Elle s'est trouvée à la bonne place, au bon moment. Le hasard a bien fait les choses.

Si je l'ai prise comme troisième gardien, ce n'était pas par charité. Elle l'avait mérité. Elle a été soumise au ballottage, comme bien d'autres joueurs. N'importe quelle équipe aurait pu la sélectionner. Elle n'a pas été réclamée, je l'ai donc prise comme joueur associé.

Elle a participé à toutes les activités de l'équipe à part entière: la course à pied, les exercices sur et hors glace, les parties hors-concours, et elle venait au restaurant avec nous.

On ne voyait plus la femme en elle, on voyait le joueur. Elle s'est parfaitement intégrée et nous avons appris à vivre avec elle.

Manon est restée très réaliste. Elle n'a jamais voulu avoir le poste de quelqu'un. Elle n'a jamais fait quoi que ce soit pour attirer l'attention.

Certaines personnes la critiquent durement. C'est dommage, cette mentalité-là. Heureusement, ce n'est qu'une petite minorité qui pense comme ça. Des gens qui auraient aimé être à sa place, mais qui n'ont ni son talent ni son caractère. Ceux qui la connaissent depuis long-temps, qui ont vu son évolution et tous les sacrifices qu'elle a dû faire, sont bien contents pour elle.

On savait, bien sûr, que les gens seraient intrigués et que les médias en parleraient, mais pas autant. Tout ce qui comptait pour elle, c'était le hockey, pas le spectacle.

J'aurais pu la faire jouer bien avant le 26 novembre. Lors d'un match à Saint-Jean, RDS, TSN et bien d'autres médias étaient là, derrière mon banc. Il restait deux minutes à faire et nous menions 4 à 1. Les journalistes me demandaient de l'envoyer sur la glace. Je n'ai pas voulu. Je ne l'aurais pas fait pour un autre gardien, alors pourquoi l'aurais-je fait pour Manon? Pour le spectacle, devant les caméras? Cela ne m'intéressait pas.

Quand je l'ai envoyée sur la glace, contre les Bisons de Granby, c'était pour changer l'allure du match. L'autre gardien jouait mal, il s'était laissé compter trop de buts. J'ai mis Manon sur la glace, comme j'aurais mis n'importe quel autre gardien. C'était la seule décision à prendre.

Ça prend tout un caractère pour aller devant le but quand on sait que tout le monde nous regarde, nous juge. Si les jeunes gars du junior majeur avaient autant de caractère qu'elle, ne serait-ce que 60 p. 100 de ce qu'elle a, il y en aurait beaucoup plus qui réussiraient à percer dans la Ligue nationale.

Elle s'est fait blesser à l'œil, au milieu de la troisième période. Bon! Ça aurait pu arriver à n'importe qui.

Après ça, les médias ne l'ont pas lâchée.

Manon est très consciente de tout ce que cette histoire lui a apporté. Elle a poursuivi parce qu'elle aime jouer au hockey, c'est tout. Elle est prête à affronter les médias pour aller le plus loin possible.

Qu'elle se retrouve dans le club-école de Phil Esposito, c'est un échange de bons procédés.

Phil a vu qu'elle attirait les médias et la publicité. Il a aussi compris qu'elle avait du potentiel et qu'elle ne ridiculiserait pas son équipe. Il a pris Manon avec lui, en lui offrant, en retour, de réaliser son rêve le plus profond: jouer au hockey, voir jusqu'où elle peut vivre sa passion.

Phil Esposito a fait preuve d'intelligence.

«Manon, c'est un gardien.
Elle parle de hockey comme un gardien.
Elle garde le but comme un gardien.
Elle est bâtie comme un gardien...
en plus petit.»

GENE UBRIACO,
entraîneur des
Knights d'Atlanta

Il y a une chose que je ne peux supporter, c'est d'entendre dire que quelqu'un ne peut pas faire quelque chose sans qu'on lui donne la chance d'essayer.

On m'a toujours dit qu'avec mes 5 pieds 8 pouces, j'étais trop petit pour jouer dans la Ligue nationale. Eh bien! je l'ai quand même fait. J'ai joué pour Pittsburgh, Chicago et Oakland.

Je m'occupe bénévolement, pendant mes vacances estivales, d'une équipe de hockey composée de jeunes enfants sourds et j'ai souvent entendu dire: «Ces jeunes-là ne peuvent pas jouer au hockey parce qu'ils sont sourds.» Cela fait pourtant bientôt vingt ans que ce programme d'entraînement existe. Ces jeunes savent très bien se débrouiller.

C'est la même chose pour Manon Rhéaume. Bien des gens affirment qu'elle ne peut pas jouer dans une ligue professionnelle parce que c'est une femme. Je ne peux accepter ce préjugé.

La première réaction que j'ai eue, quand Phil Esposito m'a parlé de la repêcher, c'est la suivante: «Regardons ce qu'elle peut faire, on jugera ensuite.»

Je l'ai analysée pendant deux semaines au camp de Tampa Bay et j'ai vu qu'elle avait les qualités qu'il faut pour devenir un bon gardien. Ce qui m'inquiétait, c'était de voir si elle saurait réagir à la pression, mais lorsque je l'ai vue garder lors de la partie hors-concours contre les Blues de Saint-Louis, je n'ai pas hésité une seconde à la prendre dans notre équipe. Elle était en pleine maîtrise de ses émotions et de ses moyens. Bien réagir à la pression, ça ne s'apprend pas: on l'a ou on ne l'a pas.

Je lui ai bâti un programme d'entraînement sur mesure qu'elle doit suivre à la lettre. Si elle s'y conforme, elle ne peut faire autrement que de s'améliorer.

Pendant la première année, elle devait rattraper le temps perdu. Elle n'avait jamais pu jouer plus de deux fois par semaine. Avec nous, elle s'entraîne tous les jours sur la glace. De plus, elle s'entraîne dans un centre de conditionnement physique, ce qu'elle n'avait pas vraiment eu la possibilité de faire auparavant. Après quelques mois seulement, on voit déjà une nette amélioration.

Elle est beaucoup plus forte, mais elle n'est pas tout à fait prête à jouer. Elle a besoin de plus d'expérience. Si je l'ai fait jouer à deux reprises lors de la première année de son contrat, c'était pour que les gens voient qu'elle sait garder le but, pour que les gens la considèrent comme un gardien et non pas seulement comme un bon coup de publicité.

Manon, c'est un gardien. Quand elle parle de la façon de garder le but, elle parle comme un gardien. Elle a l'esprit fort, l'esprit d'un gardien. Et elle est bâtie comme un gardien... en plus petit.

Pour l'instant, j'ai deux gardiens qui sont meilleurs qu'elle. Elle ne prendra certainement pas leur place.

Manon est notre troisième «homme» et il lui est arrivé, trois ou quatre fois, d'être le gardien de réserve, sur le banc, parce qu'un des deux autres avait été rappelé à Tampa Bay. S'il y avait eu un blessé ou une contre-performance, elle aurait dû y aller.

Quand nous la jugerons prête, nous la ferons jouer régulièrement. L'an prochain, si tout va bien, elle devrait jouer une quinzaine de parties pour prendre de l'expérience de jeu. L'année d'après, ce sera encore plus.

J'entends des critiques très sévères à son propos. Elles viennent surtout du Canada. Les gens qui la jugent ne savent pas de quoi ils parlent. Ils sont cruels inutilement. Si ce n'était qu'un coup publicitaire, il y aurait longtemps que ce serait fini. Je ne marcherais plus dans cette histoire.

Elle est très sérieuse à l'entraînement. Elle est la première à sauter sur la glace et elle reste après la séance pour travailler avec moi et d'autres recrues. Elle se colle au programme et c'est tout ce que je lui demande.

Elle s'est fondue dans le groupe et on ne remarque même plus qu'elle est une femme. Je lui parle comme je parle à n'importe quel autre joueur. Si je devais la rappeler à l'ordre, je lui tiendrais le même discours qu'aux autres. Il le faut. Ça doit se passer ainsi. Elle veut connaître le hockey! Eh bien! c'est comme ça que ça se passe!

Le fait qu'elle soit une femme ne change rien à ma façon d'entraîner mon équipe. La seule chose qui me tracasse, c'est de ne pas savoir comment elle réagira si elle se blesse. Je sais qu'elle s'est déjà fait couper au visage, qu'elle a subi de sévères claquages, mais je pense qu'elle n'a jamais vraiment beaucoup souffert.

Je m'en fais sûrement pour rien. Une amie m'a dit pour me rassurer: «Ne t'en fais pas. Les femmes résistent mieux à la douleur que les hommes.» Effectivement, je ne l'ai jamais entendue se plaindre. Les gars, par contre, n'arrêtent pas de chialer.

Un jour, j'ai imposé une séance d'entraînement très difficile. Je trouvais que mes joueurs se la coulaient douce depuis quelque temps et j'ai voulu les choquer. J'ai réussi. Ils grognaient, ils sacraient, ils avaient l'air de mauvaise humeur.

Des vrais hommes, quoi!

De son côté, elle faisait tous les exercices avec autant d'ardeur mais sans qu'aucune émotion ne paraisse sur son visage. Elle souffrait en silence, impassible.

J'ai su, par la suite, que la veille de cette pratique, il y avait eu l'initiation des recrues. Donc beaucoup d'alcool dans le sang et des jambes molles au-dessus de la glace. J'aurais voulu mal faire que je n'aurais pas fait mieux.

Manon est très déterminée et c'est pour cela que je veux l'aider. Ça va être un grand jour quand elle va jouer une partie complète.

Le jour où elle a signé son contrat avec nous, je lui ai donné un cigare pour lui signifier qu'elle faisait partie du groupe à part entière. Le lendemain, elle m'a offert une carte où elle avait écrit: «Merci de croire en moi.»

Je vais garder cette carte toute ma vie.

«*C'est un* stunt *publicitaire... et plus.*»

RICHARD ADLER,
gérant des Knights
d'Atlanta

Pour un propriétaire d'une nouvelle équipe de hockey, la présence de Manon est une très bonne chose. On parle beaucoup d'elle dans les médias et ça nous fait beaucoup de publicité.

Par contre, c'est une arme à double tranchant. On ne parle presque jamais des autres joueurs, il n'y en a que pour elle. Ils restent dans son ombre. Cela pourrait devenir malsain pour l'équipe. Nous devons être très prudents à cet égard.

Lors d'un voyage à Cincinnati, je me suis déplacé avec l'équipe afin de mieux contrôler les relations avec la presse. Les journalistes ont pu la rencontrer avec d'autres joueurs et à la fin, lors de la conférence de presse. Je ne dois pas laisser la jalousie s'insinuer dans l'équipe.

Manon est devenue une star et elle se débrouille très bien avec ce nouveau statut. Elle est restée une jeune fille simple et agréable avec ses coéquipiers.

Nous avons signé, avec elle, un contrat de trois ans dont une année de services personnels assortie de conditions particulières. Elle doit vivre à Atlanta toute l'année et elle n'aura que six semaines de vacances, après la saison de hockey, qu'elle pourra prendre chez elle au Québec. Nous voulons qu'elle soit plus qu'un joueur de hockey et nous ne nous en cachons pas. Elle devra participer à des activités de promotion pour l'équipe, de temps à autre.

Ça ne l'empêche pas de s'occuper de sa propre promotion. Mais elle devra faire attention: elle est ici d'abord et avant tout pour améliorer son hockey. Nous devons être prudents et elle aussi, afin ne pas exagérer. Nous devons tous garder en tête la raison de sa venue ici.

Quand elle est sur la glace, elle est un joueur comme les autres; on ne voit plus la star. Elle travaille fort et elle démontre beaucoup de courage. Pour une jeune personne de vingt et un ans, elle est très mûre.

C'est ce qui la sauve, car la pression qu'elle doit assumer est très lourde. Elle n'a pas beaucoup de temps libre pour se relaxer. Nous réduisons au minimum les entrevues qu'elle doit donner, mais il faudra faire quelque chose pour son courrier. Elle reçoit une centaine de lettres par jour. Il y en a des boîtes pleines dans le bureau de Greg DeWalt, le relationniste de l'équipe. Il lui faudrait une secrétaire pour l'aider à gérer cette montagne.

Avoir une femme dans son entourage serait une très bonne chose pour Manon. Elle vit dans un monde d'hommes, un monde très fermé. Je la sens très solitaire. Elle a la chance de vivre à Atlanta, une ville olympique, une ville qui bouge beaucoup. Elle a plein de choses à voir, plein de gens à connaître. Il lui faudrait une complice féminine pour découvrir tout ça.

Elle doit devenir une femme de la ville. Sortir un peu d'elle le Lac Beauport, mais tout en demeurant une personne simple et agréable.

Elle a un bel avenir devant elle, au hockey ou dans les médias. C'est une fille qui a de multiples talents et elle doit les développer au maximum.

Pendant trois ans, nous l'aiderons à améliorer son hockey. Quand elle sera prête, nous l'enverrons sur la glace régulièrement. Nous devons résister aux médias qui nous demandent constamment de la faire jouer. C'est à nous de bien mener notre barque.

Pendant seize ans, j'ai mené les destinées du cirque Barnum & Bailey. Je crois que je peux m'organiser avec ce cirque qu'est le hockey ainsi qu'avec les stars qui viennent avec.

«*Donnons la chance au coureur.*»

RÉJEAN HOULE

J'ai eu l'occasion de rencontrer Manon pendant son passage à Montréal, entre le camp de Tampa Bay et celui d'Atlanta.

Je l'avais croisée, à quelques reprises, dans des activités mondaines, mais nous ne nous étions jamais vraiment parlé. C'est à l'initiative de mon ami, Daniel Lamarre, de la firme National, que ce souper eut lieu. Il désirait que je partage avec Manon et son ami de cœur, Claude Poirier, mon expérience en tant qu'ancien joueur de hockey professionnel. Il voulait que je leur décrive le milieu, que je leur parle des hauts et des bas de la vie d'un sportif, des pièges à éviter, de l'attitude à adopter face à certains événements.

Ce fut un moment fort agréable. J'ai vu devant moi une jeune femme déterminée, pleine de volonté et de persévérance. Elle semble très solide mentalement et elle est très brillante.

Elle est très consciente de ce qui lui arrive. Elle sait très bien qu'elle reçoit beaucoup plus de publicité que n'importe quel autre joueur junior. Parce qu'elle est la première femme à évoluer dans le hockey professionnel, toutes les caméras sont rivées vers elle. Je pense qu'elle a assez de tête pour pouvoir fonctionner normalement, malgré tout.

Le cheminement qu'elle doit faire présentement, c'est de s'améliorer. Jour après jour. Devenir de plus en plus forte physiquement et techniquement. Elle doit prouver qu'elle veut vraiment jouer au hockey, que ce n'est pas seulement un feu de paille. D'après son attitude, il me semble évident qu'elle est sérieuse.

Pour percer, il faudra qu'elle y mette beaucoup d'efforts. Elle devra faire son chemin, sa place. Et c'est par le travail qu'elle y arrivera. Il ne faut surtout pas qu'elle s'imagine que parce qu'elle est une femme, elle aura des passe-droits. Au contraire, il faudra qu'elle soit toujours sur le même pied que ses collègues masculins. Elle devra chercher à s'intégrer aux joueurs, à faire partie du groupe. Normalement, dans toute *gang* de gars, il y a des impolis, des gens déplacés mais la grande majorité seront à leur place. Elle se fera rapidement respecter, j'en suis certain.

Évidemment, c'est très nouveau qu'une femme se retrouve au niveau professionnel. Ça heurte quelques suceptibilités masculines. Le fait qu'elle n'ait passé que très peu de temps dans le junior peut susciter des remarques. Personne n'aime que quelqu'un qui possède moins d'expérience passe devant. C'est le milieu compétitif qui veut ça, ce n'est pas nécessairement parce qu'elle est une femme. Quand j'étais ailier gauche pour les Canadiens, je vous jure que je n'aimais pas qu'un autre passe devant.

Elle a eu la chance d'avoir un contrat professionnel, en partie parce qu'elle est la première femme à jouer à un niveau si élevé. Par contre, elle a prouvé qu'elle avait des aptitudes lorsqu'elle a gardé les buts, à l'occasion, au niveau junior et lors du camp d'entraînement de Tampa Bay.

Tout le monde sait que son passage dans le junior n'a pas été assez long et que maintenant, il lui faut reprendre le temps perdu. Elle devra être très très présente. Prendre les bouchées doubles. Avec un entraînement assidu, tout le monde peut s'améliorer. Tout est entre ses mains. Elle doit prouver à ceux qui la trouvent «déplacée» qu'elle a le talent et la volonté nécessaires pour garder les buts.

Elle doit aussi avoir en tête qu'un joueur peut être mis très rapidement sur un piédestal par le public mais que la descente peut être tout aussi rapide si les performances déçoivent. Un joueur peut sombrer dans l'oubli le plus total. Et ça fait mal! Le public est très exigeant vis-à-vis des athlètes professionnels, surtout aujourd'hui avec les salaires qu'ils reçoivent.

J'ai rappelé à Manon et à son ami, ils le savaient sûrement, qu'il ne faut pas se leurrer. Il y a beaucoup d'appelés et bien peu d'élus. Lors du repêchage du hockey junior majeur, seulement 250 joueurs sont repêchés. De ce nombre, 20 joueurs ou peut-être 25 feront la Ligue nationale. C'est bien peu. Il ne faut pas se conter des histoires.

Je lui ai surtout dit que l'important, c'était de faire ce qu'elle avait envie, elle, de faire. D'aller au bout de ses ambitions. D'être persévérante et de consacrer beaucoup d'efforts à s'améliorer. De faire son purgatoire dans les mineures comme tout autre joueur avant d'espérer aller plus haut. De se donner le temps de passer les étapes, une après l'autre.

L'avenir dira si elle a les capacités nécessaires pour évoluer dans la LNH. Donnons la chance au coureur.

Manon, c'est ta chance à toi. C'est toi-même qui te la feras, personne d'autre. Même si tu as tous les médias derrière toi, si tu ne bloques pas les rondelles, arrête ça.

On va te payer uniquement pour arrêter les rondelles.

Table des matières

LES ÉDITIONS DE
L'HOMME

Ouvrages parus aux
Éditions de l'Homme

Affaires et vie pratique

* 1001 prénoms, leur origine, leur signification, Jeanne Grisé-Allard
* Acheter et vendre sa maison ou son condominium, Lucille Brisebois
* Acheter une franchise, Pierre Levasseur
* Les assemblées délibérantes, Francine Girard
* La bourse, Mark C. Brown
* Le chasse-insectes dans la maison, Odile Michaud
* Le chasse-insectes pour jardins, Odile Michaud
  Le chasse-taches, Jack Cassimatis
* Choix de carrières — Après le collégial professionnel, Guy Milot
* Choix de carrières — Après le secondaire V, Guy Milot
* Choix de carrières — Après l'université, Guy Milot
* Comment cultiver un jardin potager, Jean-Claude Trait
  Comment rédiger son curriculum vitæ, Julie Brazeau
* Comprendre le marketing, Pierre Levasseur
* La couture de A à Z, Rita Simard
  Des pierres à faire rêver, Lucie Larose
* Des souhaits à la carte, Clément Fontaine
* Devenir exportateur, Pierre Levasseur
* L'entretien de votre maison, Consumer Reports Books
  L'étiquette des affaires, Elena Jankovic
* Faire son testament soi-même, Me Gérald Poirier et Martine Nadeau Lescault
  Les finances, Laurie H. Hutzler
  Gérer ses ressources humaines, Pierre Levasseur
  La graphologie, Claude Santoy
* Le guide complet du jardinage, Charles L. Wilson
* Le guide de l'auto 93, D. Duquet, M. Lachapelle et J. Duval
* Le guide des bars de Montréal 93, Lili Gulliver
* Le guide des bons restaurants de Montréal et d'ailleurs 93, Josée Blanchette
* Le guide des plantes d'intérieur, Coen Gelein
* Guide du jardinage et de l'aménagement paysager au Québec, Benoit Prieur
* Le guide du vin 93, Michel Phaneuf
* Le guide floral du Québec, Florian Bernard
  Guide pratique des vins de France, Jacques Orhon
  J'aime les azalées, Josée Deschênes
* J'aime les bulbes d'été, Sylvie Regimbal
  J'aime les cactées, Claude Lamarche
* J'aime les conifères, Jacques Lafrenière
* J'aime les petits fruits rouges, Victor Berti
  J'aime les rosiers, René Pronovost
  J'aime les tomates, Victor Berti
  J'aime les violettes africaines, Robert Davidson
  J'apprends l'anglais..., Gino Silicani et Jeanne Grisé-Allard
  Le jardin d'herbes, John Prenis
* Lancer son entreprise, Pierre Levasseur
  Le leadership, James J. Cribbin
* La loi et vos droits, Me Paul-Émile Marchand
  Le meeting, Gary Holland
  Mieux comprendre sa vie de travail, Claude Poirier et Nicole Gravel
* Mon automobile, Gouvernement du Québec et Collège Marie-Victorin

Affaires publiques, vie culturelle, histoire

Animaux

Le chat de A à Z, Camille Olivier
Le cheval, Michel-Antoine Leblanc
Le chien dans votre vie, Matthew Margolis et Catherine Swan
L'éducation canine, Gilles Chartier
L'éducation du chien de 0 à 6 mois, Dr Joël Dehasse et Dr Colette de Buyser
* Encyclopédie des oiseaux du Québec, W. Earl Godfrey
Le guide de l'oiseau de compagnie, Dr R. Dean Axelson
* Mon chat, le soigner, le guérir, Dr Christian d'Orangeville
* Nos animaux, D. W. Stokes et L. Q. Stokes
* Nos oiseaux, tome 1, Donald W. Stokes
* Nos oiseaux, tome 2, Donald W. Stokes et Lillian Q. Stokes
* Nos oiseaux, tome 3, Donald W. Stokes et Lillian Q. Stokes
* Nourrir nos oiseaux toute l'année, André Dion et André Demers
Vous et vos oiseaux de compagnie, Jacqueline Huard-Viaux
Vous et vos poissons d'aquarium, Sonia Ganiel
Vous et votre bâtard, Ata Mamzer
Vous et votre Beagle, Martin Eylat
Vous et votre Beauceron, Pierre Boistel
Vous et votre Berger allemand, Martin Eylat
Vous et votre Bernois, Pierre Van Der Heyden
Vous et votre Bobtail, Pierre Boistel
Vous et votre Boxer, Sylvain Herriot
Vous et votre Braque allemand, Martin Eylat
Vous et votre Briard, Pierre Van Der Heyden
Vous et votre Bulldog, Pierre Van Der Heyden
Vous et votre Bullmastiff, Pierre Van Der Heyden
Vous et votre Caniche, Sav Shira
Vous et votre Chartreux, Odette Eylat
Vous et votre chat de gouttière, Annie Mamzer
Vous et votre chat tigré, Odette Eylat
Vous et votre Chihuahua, Martin Eylat
Vous et votre Chow-chow, Pierre Boistel
Vous et votre Cockatiel (Perruche callopsite), Michèle Pilotte
Vous et votre Collie, Léon Éthier
Vous et votre Dalmatien, Martin Eylat
Vous et votre Danois, Martin Eylat
Vous et votre Doberman, Paula Denis
Vous et votre Épagneul breton, Sylvain Herriot
Vous et votre furet, Manon Paradis
Vous et votre Husky, Martin Eylat
Vous et votre Labrador, Pierre Van Der Heyden
Vous et votre Lévrier afghan, Martin Eylat
Vous et votre lézard, Michèle Pilotte
Vous et votre Loulou de Poméranie, Martin Eylat
Vous et votre perroquet, Michèle Pilotte
Vous et votre perruche ondulée, Michèle Pilotte
Vous et votre petit rongeur, Martin Eylat
Vous et votre Rottweiler, Martin Eylat
Vous et votre Schnauzer, Martin Eylat
Vous et votre serpent, Guy Deland
Vous et votre Setter anglais, Martin Eylat
Vous et votre Siamois, Odette Eylat
Vous et votre Teckel, Pierre Boistel
Vous et votre Terre-Neuve, Marie-Edmée Pacreau
Vous et votre Tervueren, Pierre Van Der Heyden
Vous et votre tortue, André Gaudette
Vous et votre Westie, Léon Éthier
Vous et votre Yorkshire, Sandra Larochelle

Cuisine et nutrition

Plein air, sports, loisirs

* **L'ABC du bridge,** Frank Stewart et Randall Baron
Almanach chasse et pêche 93, Alain Demers
Apprenez à patiner, Gaston Marcotte
L'arc et la chasse, Greg Guardo
Les armes de chasse, Charles Petit-Martinon
L'art du pliage du papier, Robert Harbin
La basse sans professeur, Laurence Canty
La batterie sans professeur, James Blades et Johnny Dean
* **La bicyclette,** Jean Corbeil
Le bridge, Viviane Beaulieu
Carte et boussole, Björn Kjellström
Le chant sans professeur, Graham Hewitt
La clarinette sans professeur, John Robert Brown
Le clavier électronique sans professeur, Roger Evans
* **Les clés du scrabble,** Pierre-André Sigal et Michel Raineri
* **Comment vivre dans la nature,** Bill Rivière et l'équipe de L. L. Bean
Le conditionnement physique, Richard Chevalier, Serge Laferrière et Yves Bergeron
* **Construire des cabanes d'oiseaux,** André Dion
Corrigez vos défauts au golf, Yves Bergeron
Culture hydroponique, Richard E. Nicholls
* **Le curling,** Ed Lukowich
De la hanche aux doigts de pieds — Guide santé pour l'athlète, M. J. Schneider et
   M. D. Sussman
Devenir gardien de but au hockey, François Allaire
Le dictionnaire des bruits, Jean-Claude Trait et Yvon Dulude
* **Les éphémères du pêcheur québécois,** Yvon Dulude
* **Exceller au baseball,** Dick Walker
* **Exceller au football,** James Allen
* **Exceller au softball,** Dick Walker
* **Exceller au tennis,** Charles Bracken
* **Exceller en natation,** Gene Dabney
La flûte traversière sans professeur, Howard Harrison
Le golf au féminin, Yves Bergeron et André Maltais
Grandir en 100 exercices, Henri B. Zimmer
Le grand livre des sports, Le groupe Diagram
Le guide complet du judo, Louis Arpin
Le guide complet du self-defence, Louis Arpin
* **Le guide de la chasse,** Jean Pagé
Le guide de l'alpinisme, Massimo Cappon
* **Le guide de la pêche au Québec,** Jean Pagé
* **Le guide des auberges et relais de campagne du Québec,** François Trépanier
* **Le guide des 52 week-ends au Québec 93,** André Bergeron
Le guide des destinations soleil 93, André Bergeron
Guide des jeux scouts, Association des Scouts du Canada
Le guide de survie de l'armée américaine, Collectif
* **Guide de survie en forêt canadienne,** Jean-Georges Desheneaux
La guitare, Peter Collins
La guitare électrique sans professeur, Robert Rioux
La guitare sans professeur, Roger Evans
* **J'apprends à nager,** Régent la Coursière
* **Je me débrouille à la chasse,** Gilles Richard
* **Je me débrouille à la pêche,** Serge Vincent
Jeux pour rire et s'amuser en société, Claudette Contant
* **Jouez gagnant au golf,** Luc Brien et Jacques Barrette
Jouons au scrabble, Philippe Guérin
Le karaté Koshiki, Collectif
Le karaté Kyokushin, André Gilbert

Le livre des patiences, Maria Bezanovska et Paul Kitchevats
* Maîtriser son doigté sur un clavier, Jean-Paul Lemire
Manuel de pilotage, Transport Canada
Le manuel du monteur de mouches, Mike Dawes
Le marathon pour tous, Pierre Anctil, Daniel Bégin et Patrick Montuoro
La médecine sportive, Dr Gabe Mirkin et Marshall Hoffman
La musculation pour tous, Serge Laferrière
* La nature en hiver, Donald W. Stokes
* Nos oiseaux en péril, André Dion
* Les papillons du Québec, Christian Veilleux et Bernard Prévost
* Partons en camping!, Archie Satterfield et Eddie Bauer
Les passes au hockey, Claude Chapleau, Pierre Frigon et Gaston Marcotte
Le piano jazz sans professeur, Bob Kail
Le piano sans professeur, Roger Evans
La planche à voile, Gérald Maillefer
La plongée sous-marine, Richard Charron
Le programme 5BX, pour être en forme,
* Racquetball, Jean Corbeil
* Racquetball plus, Jean Corbeil
Les règles du golf, Yves Bergeron
* Rivières et lacs canotables du Québec, Fédération québécoise du canot-camping
S'améliorer au tennis, Richard Chevalier
Le saumon, Jean-Paul Dubé
Le saxophone sans professeur, John Robert Brown
* Le scrabble, Daniel Gallez
Les secrets du baseball, Jacques Doucet et Claude Raymond
Le solfège sans professeur, Roger Evans
La technique du ski alpin, Stu Campbell et Max Lundberg
Techniques du billard, Robert Pouliot
Le tennis, Denis Roch
* Le tissage, Germaine Galerneau et Jeanne Grisé-Allard
Tous les secrets du golf selon Arnold Palmer, Arnold Palmer
La trompette sans professeur, Digby Fairweather
* Les vacances en famille: comment s'en sortir vivant, Erma Bombeck
Le violon sans professeur, Max Jaffa
* Le vitrail, Claude Bettinger
Voir plus clair aux échecs, Henri Tranquille et Louis Morin
Le volley-ball, Fédération de volley-ball

Psychologie, vie affective, vie professionnelle, sexualité

* 30 jours pour un plus grand épanouissement sexuel, Alan Schneider et Deidre Laiken
20 minutes de répit, Ernest Lawrence Rossi et David Nimmons
* Adieu Québec, André Bureau
À dix kilos du bonheur, Danielle Bourque
Aider mon patron à m'aider, Eugène Houde
À la découverte de mon corps — Guide pour les adolescentes, Lynda Madaras
À la découverte de mon corps — Guide pour les adolescents, Lynda Madaras
L'amour comme solution, Susan Jeffers
L'amour, de l'exigence à la préférence, Lucien Auger
Les années clés de mon enfant, Frank et Theresa Caplan
* Apprendre à lire et à écrire au primaire, René Bélanger
Apprivoiser l'ennemi intérieur, Dr George R. Bach et Laura Torbet
L'approche émotivo-rationnelle, Albert Ellis et Robert A. Harper
L'art de l'allaitement maternel, Ligue internationale La Leche
L'art de parler en public, Ed Woblmuth
L'art d'être parents, Dr Benjamin Spock
L'autodéveloppement, Jean Garneau et Michelle Larivey

Santé, beauté

De belles jambes à tout âge, Dr Guylaine Lanctôt
Dormez comme un enfant, John Selby
Dos fort bon dos, David Imrie et Lu Barbuto
Être belle pour la vie, Bronwen Meredith
Le guide complet des cheveux, Philip Kingsley
L'hystérectomie, Suzanne Alix
L'impuissance, Dr Pierre Alarie et Dr Richard Villeneuve
Initiation au shiatsu, Yuki Rioux
Maigrir: la fin de l'obsession, Susie Orbach
Le manuel Johnson & Johnson des premiers soins, Dr Stephen Rosenberg
Les maux de tête chroniques, Antonia Van Der Meer
Maux de tête et migraines, Dr Jacques P. Meloche et J. Dorion
Mini-massages, Jack Hofer
Perdre son ventre en 30 jours, Nancy Burstein
Principe de la technique respiratoire, Julie Lefrançois
Programme XBX de l'aviation royale du Canada, Collectif
Le régime hanches et cuisses, Rosemary Conley
Le rhume des foins, Roger Newman Turner
Ronfleurs, réveillez-vous!, Jocelyne Delage et Jacques Piché
Savoir relaxer — Pour combattre le stress, Dr Edmund Jacobson
Soignez vos pieds, Dr Glenn Copeland et Stan Solomon
Le supermassage minute, Gordon Inkeles
Le syndrome prémenstruel, Dr Caroline Shreeve
Vivre avec l'alcool, Louise Nadeau

 le jour,
éditeur

Ouvrages parus au Jour

Affaires, loisirs, vie pratique

L'affrontement, Henri Lamoureux
Les bains flottants, Michael Hutchison
Le cœur de la baleine bleue, Jacques Poulin
Conte pour buveurs attardés, Michel Tremblay
***La France à la québécoise,** André Bergeron et Émile Roberge
***Le guide du répondeur bien branché,** Robert Blondin et Lucie Dumoulin
 J'avais oublié que l'amour fût si beau, Évette Doré-Joyal
 Jean-Paul ou les hasards de la vie, Marcel Bellier
 Oslovik fait la bombe, Oslovik

Ésotérisme, santé, spiritualité

L'astrologie pratique, Wofgang Reinicke
**Couper du bois, porter de l'eau — Comment donner une dimension spirituelle à la
 vie de tous les jours,** Collectif
De l'autre côté du miroir, Johanne Hamel
Le grand livre de la cartomancie, Gerhard von Lentner
Grand livre des horoscopes chinois, Theodora Lau
Grossesses à risque et infertilité — Les solutions possibles, Diana Raab
Les hormones dans la vie des femmes, Dr Lois Javanovic et Genell J. Subak-Sharpe
Les maladies mentales, John M. Cleghorn et Betty Lou Lee
Pour en finir avec l'hystérectomie, Dr Vicki Hufnagel et Susan K. Golant
Pouvoir analyser ses rêves, Robert Bosnak
Le pouvoir de l'auto-hypnose, Stanley Fisher
Traité d'astrologie, Huguette Hirsig

Essais et documents

***1759 La bataille du Canada,** Laurier L. LaPierre
 17 tableaux d'enfant, Pierre Vadeboncoeur
***L'accord,** Georges Mathews
 L'administration et le développement coopératif, Marcel Laflamme et André Roy
 À la recherche d'un monde oublié, N. Laurin, D. Juteau et L. Duchesne
***Les années Trudeau — La recherche d'une société juste,** T. S. Axworthy et
 P. E. Trudeau
***Le Canada aux enchères,** Linda McQuaid
 Carmen Quintana te parle de liberté, André Jacob
 Le Dragon d'eau, R. F. Holland
***Elle sera poète, elle aussi!** Liliane Blanc
 En première ligne, Jocelyn Coulon
***Femmes de parole,** Yolande Cohen
***Femmes et politique,** Yolande Cohen, Andrée Yanacopoulo et Nicole Brossard
***Les femmes sont-elles allées trop loin?,** Francine Burnonville
 Le français, langue du Québec, Camille Laurin
***Goodbye... et bonne chance!,** David J. Bercuson et Barry Cooper
***Hans Selye ou la cathédrale du stress,** Andrée Yanacopoulo

Hiérarchie ethnique dans la grande entreprise, Jean-Marie Rainville
L'histoire des femmes au Québec, Le collectif Clio
Jacques Cartier - L'odyssée intime, Georges Cartier
La maison de mon père, Sylvia Fraser
Les mythes à travers les âges, Joseph Campbell

Psychologie, vie affective, vie professionnelle, sexualité

L'accompagnement au soir de la vie, Andrée Gauvin et Roger Régnier
Adieu, Dr Howard M. Halpern
Adieu la rancune, James L. Creighton
L'agressivité créatrice, Dr George R. Bach et Dr Herb Goldberg
Aimer, c'est choisir d'être heureux, Barry Neil Kaufman
Aimer son prochain comme soi-même, Joseph Murphy
L'amour lucide, Gay Hendricks et Kathlyn Hendricks
L'amour obsession, Dr Susan Foward
Apprendre à vivre et à aimer, Léo Buscaglia
Arrête! tu m'exaspères — Protéger son territoire, Dr George Bach et Ronald Deutsch
L'art d'engager la conversation et de se faire des amis, Don Gabor
L'art de vivre heureux, Josef Kirschner
Au centre de soi, Dr Eugene T. Gendlin
Augmentez la puissance de votre cerveau, A. Winter et R. Winter
L'autosabotage, Michel Kuc
Bien vivre ensemble, Dr William Nagler et Anne Androff
Le bonheur, c'est un choix, Barry Neil Kaufman
Le burnout, Collectif
La célébration sexuelle, Ma Premo et M. Geet Éthier
Ces hommes qui ne communiquent pas, Steven Naifeh et Gregory White Smith
C'est pas la faute des mère!, Paula J. Caplan
Ces vérités vont changer votre vie, Joseph Murphy
Comment aimer vivre seul, Lynn Shanan
Comment apprendre l'autodiscipline aux enfants, Thomas Gordon
Comment décrocher, Barbara Mackoff
Comment faire l'amour à la même personne pour le reste de votre vie,
    Dagmar O'Connor
Comment faire l'amour à une femme, Michael Morgenstern
Comment faire l'amour à un homme, Alexandra Penney
Comment faire l'amour ensemble, Alexandra Penney
Communication efficace, Linda Adams
Contacts en or avec votre clientèle, Carol Sapin Gold
Dire oui à l'amour, Léo Buscaglia
Dominez les émotions qui vous détruisent, Dr Robert Langs
La dynamique mentale, Christian H. Godefroy
Les enfants hyperactifs et lunatiques, Dr Guy Falardeau
L'éveil de votre puissance intérieure, Anthony Robins
Exit final — Pour une mort dans la dignité, Derek Humphry
Faites la paix avec votre belle-famille, P. Bilofsky et F. Sacharow
La famille moderne et son avenir, Lyn Richards
La fille de son père, Linda Schierse Leonard
La Gestalt, Erving et Miriam Polster
Le grand voyage, Tom Harpur
L'héritage spirituel d'une enfance difficile, Josef Kirschner
L'homme sans masque, Herb Goldberg
L'influence de la couleur, Betty Wood
Jouer le tout pour le tout, Carl Frederick
Maîtriser son destin, Josef Kirschner
*Les manipulateurs, E. L. Shostrom et D. Montgomery
Le miracle de votre esprit, Dr Joseph Murphy

Née pour se taire, Dana Crowley Jack
Négocier — entre vaincre et convaincre, Dr Tessa Albert Warschaw
Nos crimes imaginaires, Lewis Engel et Tom Ferguson
Nouvelles relations entre hommes et femmes, Herb Goldberg
Option vérité, Will Schutz
L'oracle de votre subconscient, Dr Joseph Murphy
Parent au pouvoir, John Rosemond
Parlez pour qu'on vous écoute, Michèle Brien
Paroles de jeunes, Barry Neil Kaufman
* **La personnalité,** Léo Buscaglia
Le pouvoir de la motivation intérieure, Shad Helmstetter
Le pouvoir de votre cerveau, Barbara B. Brown
La puissance de la pensée positive, Norman Vincent Peale
La puissance de votre subconscient, Dr Joseph Murphy
* **La rage au cœur,** Martine Langelier
Réfléchissez et devenez riche, Napoleon Hill
Retrouver l'enfant en soi, John Bradshaw
S'affirmer — Savoir prendre sa place, R. E. Alberti et M. L. Emmons
S'affranchir de la honte, John Bradshaw
La sagesse du cœur, Karen A. Signell
S'aimer ou le défi des relations humaines, Léo Buscaglia
Savoir quand quitter, Jack Barranger
Secrets de famille, Harriet Webster
Les secrets de la communication, Richard Bandler et John Grinder
Seuls ensemble, Dan Kiley
Le succès par la pensée constructive, Napoleon Hill
La survie du couple, John Wright
Tous les hommes le font, Michel Dorais
Triomphez de vous-même et des autres, Dr Joseph Murphy
* **Trop peu de sexe… trop peu d'amour,** Jonathan Kramer et Diane Dunaway
Un homme au dessert, Sonya Friedman
Uniques au monde!, Jeanette Biondi
Vivre avec les imperfections de l'autre, Dr Louis H. Janda
Vivre avec passion, David Gershon et Gail Straub
Volez de vos propres ailes, Howard M. Halpern
Votre corps vous parle, écoutez-le, Henry G. Tietze
Votre talon d'Achille, Dr Harold Bloomfield

---

* Pour l'Amérique du Nord seulement. (0608)